D1531796

Savoir préparer une recherche

Savoir préparer une recherche

la définir
la structurer
la financer

André-Pierre Contandriopoulos
François Champagne
Louise Potvin
Jean-Louis Denis
Pierre Boyle

Collaborateurs :
Lucie Bélanger (MSSS)
Hung Nguyen (CSSSM)

Révision :
Michèle Giresse
Ginette Laliberté

Mise en page :
France Pinsonnault

1990
LES PRESSES DE L'UNIVERSITÉ DE MONTRÉAL
C.P. 6128, succ. A, Montréal (Québec)
Canada H3C 3J7

NOTE : La préparation de cet ouvrage a été rendue possible grâce à une subvention du ministère de la Santé et des Services sociaux et du Conseil de la Santé et des Services sociaux de la Montérégie.

ISBN : 2-7606-1535-9

Dépôt légal, 3ᵉ trimestre 1990 — Bibliothèque nationale du Québec

À chaque fois qu'il m'est donné, comme c'est le cas ici, de constater la marche des sciences sociales et humaines vers une plus grande maturité conceptuelle et une précision méthodologique renouvelée, je ressens une grande satisfaction. Car, même si nos sciences ont acquis depuis longtemps leurs lettres de créance dans la mesure où, à la manière des sciences naturelles et expérimentales, elles ont défini leur objet et, l'ayant observé avec rigueur selon diverses perspectives théoriques à l'aide d'instruments appropriés, elles ont cherché à expliquer et comprendre sa nature comme les dynamismes qui le transforment, elles sont encore loin d'avoir atteint le niveau de perfectionnement souhaité.

Le mérite particulier de la monographie «Savoir préparer une recherche» est de fonder l'appropriation des connaissances nouvelles sur une explicitation des composantes du protocole de recherche nécessaires à la quête de savoirs particuliers sur l'objet. Elle comble, de ce fait, un vide et sera d'une grande utilité tant aux chercheurs en phase d'apprentissage et aux équipes de recherche en émergence qu'aux chercheurs dont l'expertise méthodologique et instrumentale est reconnue.

Cet apport novateur d'une équipe du Groupe de recherche interdisciplinaire en santé (GRIS) de l'Université de Montréal sur le protocole de recherche survient à un tournant important dans la transformation progressive au Québec des sciences sociales. Un nombre de plus en plus grand de personnes reconnaissent la valeur de la recherche non seulement pour l'avancement des connaissances mais aussi pour l'intervention, conçue en vue de la solution de problèmes. Sous cet angle comme sous celui du progrès théorique, le Québec relève en ce moment le défi de son sous-développement, lorsqu'on le compare, bien entendu, à d'autres pays industriels avancés. Dans cette lente montée vers l'excellence, le Québec, par les composantes de sa mosaïque culturelle, a une contribution spécifique à apporter, soit celle de l'intégration des traditions intellectuelles européennes et américaines dans le respect, bien sûr, des canons scientifiques et linguistiques reconnus. Bien que les références bibliographiques nous renvoient presqu'entièrement à des travaux d'expression anglaise, il n'en demeure pas moins que ce souci d'intégration demeure apparent par l'utilisation équilibrée, dans la démarche pédagogique choisie, de modèles conceptuels, de schémas opératoires, de techniques instrumentales et de préoccupations déontologiques en provenance de ces deux sources d'inspiration. Les divers éléments du protocole, ancrés dans une paradigmatique bien modélisée, se déploient selon des stades bien concrets également fondamentaux pour une entreprise de recherche. Ce protocole, d'ailleurs, m'apparaît particulièrement bien adapté aux exigences des organismes de financement provinciaux et fédéraux, en plus de concrétiser, par des schémas, des tableaux et des exemples puisés dans le champ de la santé, ses diverses composantes.

Un souci de cette monographie consiste à prendre en compte les besoins réels et potentiels des utilisateurs éventuels des résultats de la recherche. Qu'on ait pensé s'associer, comme collaborateurs, des membres du ministère de la Santé et des Services sociaux et d'un établissement socio-sanitaire n'est pas le résultat d'un hasard. Du point de vue des auteurs, les retombées pragmatiques d'une recherche ne doivent pas seulement être accidentelles. Elles doivent découler d'une volonté politique du chercheur et elles doivent associer dès le départ des personnes en provenance des milieux de pratique. À la suite d'une spécialisation à outrance de nos sciences, en quête de légitimation et d'autonomie, et d'une orientation vers un rajeunissement des explications, voilà, comme en témoigne cet outil, que les sciences sociales retournent à leurs sources historiques et s'arriment à nouveau à la solution des problèmes associés aux transformations de la société québécoise dans sa rapide évolution vers le post-modernisme.

Un autre mérite ne peut être passé sous silence. C'est la juste place accordée aux méthodes et techniques qualitatives et aux méthodes et techniques quantitatives échelonnées sur la trajectoire complète du processus de recherche: de l'énoncé de l'hypothèse à l'élaboration du schéma explicatif. Ce n'est habituellement pas un équilibre facile à réaliser, lorsqu'on tient compte des positions épistémiologiques des chercheurs qui s'identifient et adhèrent à l'une ou l'autre de ces traditions empiriques de recherche. Pour ma part, si je puis exprimer un choix qui se rapporte à cette tentative, j'aurais apprécié que les auteurs développent la place de la recherche d'exploration dans l'univers d'observation, dont la démarche se distingue nettement de celle qui s'appuie sur une perspective hypotético-déductive à laquelle la monographie est consacrée. Pour énoncer une hypothèse, laquelle représente une réponse provisoire à une question que l'on pose à la réalité, l'auteur de la recherche doit s'appuyer sur un corpus de données disponibles. Mais si ce corpus n'existe pas et qu'il doive être constitué, la philosophie de la recherche empirique prend alors une toute autre coloration.

Toutes les sections présentent une facture qui respecte les règles de la normalisation terminologique, qu'il s'agisse de la conceptualisation du problème de recherche, du choix d'une stratégie d'observation ou de sa planification opérationnelle, de sa pertinence et des règles éthiques, et sont rédigées dans un langage accessible aux jeunes chercheurs, aux intervenants et à un public instruit. Voilà une qualité qui contredit le stéréotype du discours ésotérique ou hermétique dont les spécialistes de la recherche en sciences sociales et humaines sont affublés.

À une époque, enfin, où les fonds pour le financement de la recherche en sciences sociales deviennent de plus en plus difficiles à dénicher et à obtenir, même dans le vaste secteur de la santé, suite à une double conjoncture de restrictions budgétaires et de renforcement des normes de qualité utilisées par les comités de pairs, la disponibilité d'un outil de ce genre, qui va jusque dans les moindres détails m'apparaît servir les besoins de l'apprenti chercheur ainsi que contenir, dans les sentiers conventionnels, les chercheurs chevronnés de nos disciplines respectives dans le respect des normes universelles de qualité et de pertinence sociale.

Je me sens autorisé, dans les circonstances, de souligner la clairvoyance de ceux qui ont financé le projet, de féliciter les auteurs qui ont eu la patience d'évaluer leur œuvre et de la remettre en chantier en vue de perfectionner les divers éléments constitutifs du protocole de recherche et de saluer le jugement éclairé des dirigeants des Presses de l'Université de Montréal (PUM) qui ont pris la décision de mettre sur le marché un instrument qui s'avérait indispensable et dont on pourra difficilement à l'avenir se passer.

Marc-Adélard Tremblay
Professeur d'Anthropologie
Université Laval
21 août 1990

TABLE DES MATIÈRES

Liste des tableaux.. 7
Liste des figures.. 7

AVANT-PROPOS 9

INTRODUCTION 13
    A - Buts et fonctions générales d'un protocole de recherche.................................... 13
    B - Organisation générale et forme d'un protocole de recherche............................. 14

CHAPITRE 1
CONCEPTUALISATION DU PROBLÈME DE RECHERCHE
SECTION 1 – Définition du problème de recherche.. 17
    a) Objectif général de la recherche.. 18
    b) Cible de la recherche... 18
    c) Importance du sujet de recherche.. 18
    d) Formulation du problème de recherche.. 18
    e) Stade de développement de la recherche.. 23
    f) Utilisation des résultats de la recherche... 23

SECTION 2 – État des connaissances... 25
SECTION 3 – Modèle théorique et hypothèses ou questions de recherche............... 28
    a) Modèle théorique retenu.. 28
    b) Formulation des hypothèses ou des questions de recherche....................... 30

CHAPITRE 2
CHOIX D'UNE STRATÉGIE DE RECHERCHE
SECTION 4 – Stratégie de recherche... 33
    a) Choix d'une approche générale de recherche et choix d'un devis................ 33
        1. Recherche expérimentale.. 34
        2. Recherche synthétique... 37
        3. Recherche de développement.. 39
        4. Recherche de simulation.. 39
        5. Conclusion.. 40
    b) Validité de la stratégie de recherche.. 40
        1. Validité des recherches expérimentales... 41
        2. Validité des recherches synthétiques... 42

CHAPITRE 3
PLANIFICATION OPÉRATIONNELLE DE LA RECHERCHE
SECTION 5 – Population à l'étude.. 55
    a) Population cible.. 55
    b) Échantillon.. 57
        1. Échantillons probabilistes... 58
        2. Échantillons non probabilistes.. 61
        3. Taille de l'échantillon... 63

SECTION 6 – Définition des variables et collecte des données............................... 65
    a) Définition opérationnelle des variables..................................... 65
        1. Classification fonctionnelle des variables........................... 65
        2. Description des variables.. 66
    b) Méthodes de collecte des données.. 68
        1. Utilisation de documents.. 70
        2. Observation des sujets... 71
        3. Information fournie par les sujets................................... 72
        4. Conclusion.. 74
    c) Qualité des instruments de mesure....................................... 74
        1. Fiabilité d'un instrument de mesure.................................. 75
        2. Validité de la mesure.. 77

SECTION 7 – Analyse des données.. 81
    a) Analyses qualitatives... 82
        1. Préparation et description du matériel brut......................... 82
        2. Réduction des données.. 82
        3. Choix et application des modes d'analyse............................ 83
        4. Analyse transversale... 84
    b) Analyses quantitatives.. 84
        1. Analyses descriptives.. 84
        2. Analyses liées aux hypothèses...................................... 85

SECTION 8 – Échéancier et budget... 88
    a) Échéancier... 88
    b) Budget... 88

CHAPITRE 4
CONCLUSION
SECTION 9 – Pertinence de la recherche... 91
    a) Résultats attendus... 91
    b) Degré de généralisation des résultats.................................. 91
    c) Utilité des résultats.. 92

SECTION 10 – Considérations éthiques... 92
    a) Avantages et risques de la recherche................................... 93
    b) Consentement libre et éclairé des sujets............................... 93
        1. Prise de décision éclairée... 94
        2. Consentement libre.. 95
        3. Consentement clairement exprimé.................................... 96
        4. Recherches sans consentement....................................... 96
    c) Respect de la confidentialité ou de l'anonymat......................... 97

Références... 99
Bibliographie... 101
Annexe I : Mesure de la fiabilité d'un instrument 105
Annexe II : Exemples de protocole... 113

LISTE DES TABLEAUX

Tableau   A – Schéma d'un protocole de recherche.. 16

Tableau 1.1 – Les cibles de la recherche en santé.. 20
Tableau 1.2 – Questions de recherche évaluative.. 24
Tableau 4.1 – Typologie des stratégies de recherche.. 35
Tableau 4.2 – Biais pouvant affecter la validité interne d'une recherche expérimentale...................... 45
Tableau 4.3 – Les devis de la recherche expérimentale: expérimentation provoquée....................... 48
Tableau 4.4 – Les devis de la recherche expérimentale: expérimentation invoquée....................... 51
Tableau 5.1 – Table de nombres aléatoires.. 59
Tableau 6.1 – Avantages et inconvénients associés au choix d'un instrument
de mesure.. 76
Tableau 6.2 – Tableau de contingence pour l'évaluation de la sensibilité et de
la spécificité d'un test diagnostique.. 79
Tableau 8.1 – Échéancier d'un projet de recherche.. 90

LISTE DES FIGURES

Figure 1.1 – La roue de la connaissance scientifique... 26
Figure 1.2 – Relations entre le monde théorique et le monde empirique....................................... 29
Figure 1.3 – Relations possibles entre des hypothèses.. 31
Figure 4.1 – Le modèle traditionnel de la recherche expérimentale... 36
Figure 5.1 – Interaction entre les effets de deux traitements... 56
Figure 5.2 – Absence d'interaction entre les effets de deux traitements.. 57
Figure 6.1 – Méthodes de cueillette des données... 69

La recherche, quel qu'en soit son objet, est une activité exigeante et passionnante, qui a d'autant plus de chance de donner des résultats intéressants qu'elle a été préparée avec soin, qu'elle repose sur une réflexion conceptuelle solide et qu'elle s'appuie sur les connaissances existantes. La préparation d'une recherche, c'est-à-dire tout le travail qu'il faut faire **avant** de commencer à recueillir des données, à les analyser, à les interpréter, est une étape essentielle et inévitable. Il n'est pas plus possible d'y échapper qu'il est possible pour un cuisinier de commencer à préparer un plat sans savoir ce qu'il veut faire, sans s'être procuré les ingrédients nécessaires et sans s'être assuré qu'il avait les ustensiles requis pour la préparation de son plat.

Or, même si la préparation d'une recherche est une étape essentielle, il n'existe, à notre connaissance, aucun document publié qui présente, d'une façon simple et complète, les étapes que doit franchir un chercheur pour arriver à un protocole de recherche convaincant et réalisable [1]. Par ce document, nous espérons combler cette lacune.

D'une part, ce livre est le résultat de l'expérience que nous avons acquise comme chercheurs, comme professeurs et comme évaluateurs de projets de recherche auprès de plusieurs organismes subventionnaires et, d'autre part, des objectifs du *Programme de subventions pour projets d'interventions, d'études et d'analyses en santé communautaire* du ministère de la Santé et des Services sociaux du Québec (MSSS) qui vise entre autres à «...développer, au moyen de la concertation et de l'échange, la compétence régionale en matière de méthodologie de la recherche et de l'intervention en santé communautaire» et à «...fournir, lorsque requis, un soutien méthodologique aux promoteurs des projets».

C'est dans le but de fournir ce soutien méthodologique que le CRSSS de la Montérégie et le GRIS de l'Université de Montréal ont obtenu une subvention du MSSS pour préparer un document qui pourrait être utilisé par tous ceux qui sont amenés à préparer des protocoles de recherche. D'une part, le document devait pouvoir guider une personne dont la formation en recherche n'est pas très grande pour lui permettre d'aboutir à un protocole de recherche acceptable et, d'autre part, il devait être utile — un peu comme un document de référence ou un aide-mémoire — à ceux qui ont une formation plus avancée en recherche.

---

1. Après avoir écrit ces lignes, nous sommes tombés par hasard sur le petit livre de Gordon Mace, (*Guide d'élaboration d'un projet de recherche,* Québec, Presses de l'Université Laval, 1988), qui tente aussi de combler ce vide de façon très intéressante . La manière d'aborder le sujet est cependant assez différente pour que les deux ouvrages soient plus complémentaires que redondants.

Le document ne pouvait donc être ni un livre de recettes, ni un livre de méthodologie. En effet, il n'est pas possible de donner des recettes simples qu'il suffit de suivre fidèlement pour arriver à un bon protocole de recherche, et il n'est pas nécessaire non plus d'écrire un nouveau livre de méthodologie, puisqu'il en existe déjà plusieurs qui sont excellents.

Tout à la fois, nous avons essayé de donner des indications précises sur ce que doit contenir un protocole de recherche et les notions élémentaires de méthodologie nécessaires pour pouvoir préparer une recherche. Nous avons également préparé une bibliographie complémentaire pour chacune des sections du texte, afin de permettre à ceux qui le désirent d'approfondir les aspects méthodologiques présentés.

Nous avons de plus décrit la préparation d'une recherche dans une perspective hypothético-déductive suffisamment large pour qu'elle soit utilisable par des personnes dont les formations disciplinaires sont diverses, et dont les conceptions de la recherche sont différentes. Ce document devrait être utile aussi bien pour la préparation de recherches qualitatives que pour la préparation de recherches quantitatives.

Dans ce document, pour ne pas alourdir le texte, nous avons utilisé le masculin; il ne faut y voir aucune discrimination. Nous avons aussi utilisé le terme chercheur pour désigner la personne qui est responsable et qui prépare un protocole de recherche. Le terme désigne aussi bien les étudiants qui préparent leur projet de mémoire ou de thèse que les promoteurs d'une recherche dans un département de santé communautaire, ou les professeurs qui soumettent un projet à un organisme subventionnaire. Les indications sur le nombre de pages de chaque section correspondent à des pages de taille normale, à simple interligne (± 480 mots par page).

Les auteurs tiennent à remercier toutes les personnes qui ont assisté aux deux sessions de formation pratique sur la préparation d'un protocole de recherche qui ont eu lieu à Montréal, au début de 1989 et au début de 1990. Les critiques et les commentaires obtenus lors de ces sessions ont permis de modifier, de façon substantielle, une première version du document. Ils remercient aussi les étudiants au PhD en Santé communautaire, qui ont servi de tuteurs lors de ces sessions, pour leurs commentaires, et les étudiants du cours de Méthodologie de la recherche (ASA 6008) qui, au fil des années, ont entraîné les auteurs à formaliser leurs conseils par écrit.

Savoir préparer une recherche n'aurait probablement jamais vu le jour si monsieur Monroe Lerner, de l'Université John Hopkins, n'avait préparé en 1978, pour une session de formation à la recherche, un petit document jamais publié (*Guide to the Preparation of a Research-Design Protocol*), que nous avons traduit et utilisé, avec sa permission, comme point de départ à la préparation de ce document. Il ne peut, bien entendu, être tenu responsable du contenu du document actuel.

Les auteurs remercient aussi tout particulièrement monsieur Hung Nguyen, du CRSSS de la Montérégie, et madame Lucie Bélanger, du ministère de la Santé et des Services sociaux, pour leurs conseils et leurs encouragements durant la préparation de ce document, ainsi que tous les membres du groupe de travail constitué par des représentants des Conseils régionaux du Québec, pour leurs commentaires et leurs critiques.

Tout le travail de dactylographie a été assumé par le secrétariat du GRIS, le travail d'édition de la version finale par France Pinsonnault et la révision générale du texte par Michèle Giresse. Nous tenons à les remercier chaleureusement.

Les auteurs

A - Buts et fonctions générales d'un protocole de recherche

Pourquoi rédiger un protocole de recherche? Si l'on posait cette question à un chercheur, il répondrait probablement: «Pour obtenir une subvention». Si on lui demandait ensuite quelles sont les fonctions de ce type de document, il dirait peut-être qu'il s'agit de mettre les chercheurs à l'épreuve et de les placer en situation de concurrence avec d'autres. Or, aussi simples et abruptes qu'elles soient, ces réponses ne rendent pas moins compte d'une partie de la réalité: pour les chercheurs, un protocole est un moyen d'obtenir des subventions; pour les organismes subventionnaires, il permet de classer les projets par ordre de priorité, en fonction de leur pertinence et de leurs qualités méthodologiques. Cette brève introduction tentera de pousser un peu plus loin la réflexion sur les buts et les fonctions d'un protocole de recherche.

On peut définir un protocole comme le document qui permet de passer de l'identification d'un problème de recherche (étape qui ne concerne qu'un nombre limité de personnes, voire une seule, et qui est de nature abstraite) au démarrage de la recherche (étape qui inclut un plus grand nombre d'intervenants et de participants ainsi que des mesures concrètes – engagement de personnel, occupation de locaux, etc.).

À l'intérieur du laps de temps, très variable, qui va du moment où une personne ou un groupe de personnes décident de préparer un protocole de recherche et le moment où ils reçoivent des fonds de l'organisme subventionnaire, on peut identifier quatre étapes distinctes: la préparation, la soumission, l'évaluation et, finalement, l'acceptation du protocole. À chacune de ces étapes correspondent des fonctions et des buts différents, et leur ensemble constitue les buts et fonctions du protocole.

Préparation. Cette première étape est celle qui nous intéresse le plus ici, puisque l'ensemble de ce document porte sur elle.

La préparation d'un protocole de recherche comprend trois grandes phases: la conceptualisation du problème à l'étude, le choix d'une stratégie de recherche et la planification opérationnelle de la recherche.

Lors de la conceptualisation, le chercheur spécifie le problème à l'étude, fait le point sur l'état des connaissances, définit le modèle théorique qu'il adopte et formule ses hypothèses. Il détermine ensuite les stratégies de recherche à adopter pour vérifier ses hypothèses. La planification opérationnelle consiste à décrire les méthodes et les procédures sui seront adoptées pour définir la population étudiée, choisir les variables, recueillir et analyser les données ainsi que pour préparer un échéancier et un budget. Finalement, il faut ajouter que c'est lors de la préparation du protocole que le chercheur doit s'assurer de la pertinence de la recherche et doit examiner les questions éthiques que peut soulever sa recherche.

Le chercheur qui prépare un protocole vise un double objectif: éclaircir et organiser ses propres idées et convaincre l'organisme subventionnaire de l'importance du projet et de la nécessité de le financer. La première fonction du travail de préparation d'un protocole de recherche est donc de transformer une idée initiale en un véritable plan d'action qui respecte les différentes phases du processus de recherche; la deuxième fonction est de tenter de vendre ce plan d'action.

Présentation (soumission). Une fois que le chercheur a terminé son protocole, il le soumet à l'organisme subventionnaire. En déposant ce document, le chercheur s'engage officiellement à réaliser l'étude proposée si son projet est accepté et à suivre le plan d'action qu'il a établi. À ce stade, il s'agit, bien entendu, d'un engagement unilatéral, c'est-à-dire qui ne concerne que le chercheur et l'organisme pour lequel il travaille.

Évaluation. Au moment de son évaluation, le protocole doit se défendre par lui-même: les évaluateurs jugent généralement la proposition de recherche uniquement par le contenu du document. La fonction du protocole est donc de convaincre les évaluateurs de l'importance, de la pertinence, de la faisabilité et de la qualité de la recherche envisagée.

Acceptation. Lorsque le protocole est accepté, il prend la valeur d'un contrat entre le chercheur et l'organisme subventionnaire. Par ce contrat, le chercheur s'engage à mener la recherche décrite dans le protocole, à respecter son échéancier et son budget et à diffuser les résultats obtenus. Pour sa part, l'organisme subventionnaire s'engage à financer la recherche.

B - Organisation générale et forme d'un protocole de recherche

Un protocole de recherche comprend généralement trois types d'éléments: 1) des formulaires spécifiques à l'organisme subventionnaire remplis par le chercheur et l'organisation pour laquelle il travaille; 2) une description détaillée du projet de recherche; 3) des annexes qui permettent au chercheur de fournir des informations plus détaillées sur différents aspects de sa recherche.

La description détaillée du projet de recherche se présente en général sous la forme d'un document d'une douzaine de pages à simple interligne que l'on peut diviser en quatre chapitres (le schéma d'un protocole de recherche correspond à la table des matières de ce document et il est représenté au tableau A; de plus, trois exemples de protocoles de recherche sont inclus dans l'annexe 2).

Dans le premier chapitre, le chercheur commence par décrire comment la question à l'étude a été conceptualisée. En d'autres termes, il précise le problème à l'étude et montre son importance. Il indique ensuite comment ce problème s'inscrit dans le champ des connaissances existantes. Enfin, il spécifie le modèle théorique qu'il adopte et formule ses hypothèses de recherche.

Dans le deuxième chapitre, le chercheur justifie le choix d'une stratégie de recherche. Plus précisément, il définit toutes les décisions à prendre pour soumettre à l'épreuve des faits, les hypothèses qui lui sont propres. Il précise ensuite les qualités du devis qu'il adopte.

Dans le troisième chapitre, le chercheur aborde la planification opérationnelle de la recherche. C'est dans cette partie qu'il examine les questions relatives au choix de la population étudiée, à la définition opérationnelle des variables, à la qualité des mesures, aux méthodes de collecte des renseignements requis et aux méthodes d'analyse prévues. C'est aussi dans cette partie qu'il présente l'échéancier du projet ainsi que le budget. Certains organismes subventionnaires demandent toutefois que le budget soit présenté sur un formulaire spécial.

Finalement, dans la conclusion, le chercheur aborde la question de la pertinence des résultats attendus et indique les mesures qu'il prendra pour respecter les règles d'éthique.

En ce qui concerne les annexes, elles peuvent comprendre, par exemple, une copie des questionnaires qui seront utilisés, la description du programme ou de l'intervention à évaluer, dans le cas d'une recherche évaluative, ou encore des lettres d'appui. Les annexes constituent donc un moyen de compléter l'information fournie dans la description détaillée du projet mais, en aucun cas, elles ne devraient contenir des informations essentielles à l'évaluation du projet soumis. En effet, c'est surtout à partir de la description détaillée du projet que les évaluateurs doivent pouvoir juger de l'intérêt et de la faisabilité de la recherche proposée. Il arrive d'ailleurs souvent que les annexes des protocoles de recherche ne soient distribuées qu'aux réviseurs principaux des projets.

Il faut bien comprendre que le chercheur n'est pas obligé de suivre à la lettre le plan type présenté ici. Néanmoins, il doit s'assurer d'inclure dans son protocole tous les éléments mentionnés. Il peut aussi se servir de ce plan pour vérifier que rien n'a été oublié. Un protocole de recherche doit contenir tous les renseignements qui permettraient à un autre chercheur de reproduire la recherche.

En résumé, la qualité essentielle d'un protocole est de décrire une bonne recherche, c'est-à-dire une recherche pertinente, faisable et scientifiquement rigoureuse. De plus, le protocole doit avoir une bonne cohérence interne, être concis, clair et élégant. Sa préparation constitue un travail exigeant et difficile. Par contre, un protocole bien fait permet de simplifier considérablement la réalisation de la recherche ainsi que la rédaction des documents qui serviront à présenter les résultats de celle-ci, qu'il s'agisse d'articles, d'un rapport de recherche, d'un mémoire ou d'une thèse.

TABLEAU A

SCHÉMA D'UN PROTOCOLE DE RECHERCHE

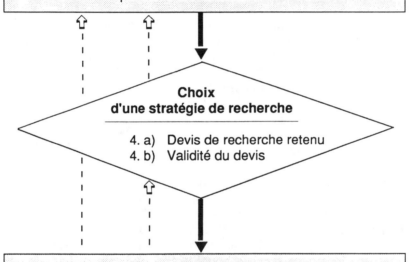

Conceptualisation du problème de recherche

1) Définition du problème de recherche
2) État des connaissances
3) Modèle théorique et hypothèses ou
   questions de recherche

**Choix
d'une stratégie de recherche**

4. a) Devis de recherche retenu
4. b) Validité du devis

Planification opérationnelle de la recherche

5) Population à l'étude
6) Définition des variables et collecte des données
7) Analyse des données
8) Échéancier et budget
9) Pertinence de la recherche
10) Respect des règles d'éthique

CONCEPTUALISATION DU PROBLÈME DE RECHERCHE

Ce premier chapitre constitue la pierre d'assise de tout le protocole de recherche. Dans une première section, le chercheur définit son problème de recherche; il montre ensuite comment ce problème s'inscrit dans le champ des connaissances existantes et, dans une troisième section, il spécifie le modèle théorique qu'il retient et les hypothèses ou les questions de recherche qu'il veut soumettre à une vérification empirique.

Le chercheur principal d'une recherche a un rôle central dans le travail de conceptualisation inhérent à la préparation de ce premier chapitre. Bien entendu, il peut consulter d'autres personnes, travailler en collaboration étroite avec des cliniciens, des administrateurs, des responsables de programmes, d'autres chercheurs, etc. Néanmoins, au bout du compte, c'est lui qui doit définir les hypothèses de la recherche.

La réflexion nécessaire à la préparation de ce premier chapitre peut être longue et difficile, mais elle ne peut être évitée. Tant que le chercheur n'a pas conceptualisé son problème de recherche, il est inutile qu'il travaille sur les autres chapitres du protocole. D'un autre côté, ces derniers seront d'autant plus faciles à préparer et il sera d'autant plus aisé d'obtenir de l'aide que le modèle théorique dans lequel la recherche s'inscrit sera bien conceptualisé. Cependant, même si une définition claire et précise du problème de recherche doit précéder le choix d'une stratégie de recherche et les décisions plus opérationnelles qui constituent un protocole, il faut bien comprendre que la préparation d'un protocole de recherche n'est pas un exercice linéaire. À tout moment durant la préparation de son protocole, le chercheur est amené à revenir en arrière et à préciser, adapter ce qu'il a déjà écrit à la lumière des décisions qu'il prend à mesure qu'il progresse dans la description de la recherche qu'il se propose de faire (*Tableau A*).

Section 1 - DÉFINITION DU PROBLÈME DE RECHERCHE

But:	Permettre d'apprécier la pertinence et l'importance de la recherche envisagée
Contenu:	- présentation de l'objectif général - définition de la cible - discussion de l'importance du sujet - formulation du problème - indication du stade de développement de la recherche - identification des principaux utilisateurs des résultats
Longueur:	1 à 2 pages

Cette première section du protocole est essentielle. En effet, sans une définition claire, précise et convaincante du problème de recherche, tout le soin que l'on pourrait apporter à la préparation du reste du protocole ne servirait à rien.

a) Objectif général de la recherche

Il faut, dans le paragraphe qui sert d'introduction au protocole de recherche, indiquer de façon très générale le domaine sur lequel porte le projet de recherche. Par exemple, l'utilisation des services de santé, l'intervention auprès de jeunes enfants, la continuité des soins et l'observance du traitement, l'autonomie des personnes âgées.

On rappelle ensuite très brièvement l'origine du projet et les raisons qui ont amené le chercheur à travailler sur le sujet et on doit, dans cette première section, énoncer l'objectif général de la recherche. Par exemple, la mesure de l'influence du mode de rémunération des médecins sur l'utilisation des services de santé; l'évaluation des coûts et de l'efficacité d'un programme d'intervention auprès de jeunes enfants; l'influence du soutien social sur l'autonomie des personnes âgées; la conception et le développement d'un dispositif de mesures des soins infirmiers requis.

b) Cible de la recherche

Le protocole doit comprendre un court paragraphe qui précise la cible de la recherche, c'est-à-dire qui indique à laquelle des trois catégories suivantes appartient la recherche envisagée:

- la *recherche sur les états de santé*, qui vise à expliquer, à décrire ou à mesurer la santé ou des problèmes de santé;
- la *recherche sur les interventions,* qui vise à décrire, à expliquer ou à développer une intervention;
- la r*echerche évaluative*, qui vise à porter un jugement sur une intervention.

▶ (Cette classification est illustrée et précisée dans le *Tableau 1.1.*)

c) Importance du sujet de recherche

Le chercheur doit faire ressortir l'importance du sujet qu'il a choisi. Cette importance peut découler des coûts occasionnés par le phénomène étudié, de l'incidence ou de la prévalence du problème de santé en question, du rythme de croissance du problème ou encore de ses conséquences, relativement à la mortalité ou à la morbidité, d'une non-intervention.

d) Formulation du problème de recherche

Toute recherche, analyse ou étude a comme point de départ une situation perçue comme problématique, c'est-à-dire qui cause de l'inconfort et qui, par conséquent, exige une explication. Cette situation problématique survient lorsqu'il existe un écart entre la conception ou l'explication d'un phénomène et l'observation ou la perception de la réalité. C'est cet écart qui est à l'origine du problème de recherche. La recherche va tenter de résoudre la discordance entre un modèle, une théorie ou une explication et la réalité perçue. Elle vise, par une investigation empirique systématique, à apporter une «réponse», une solution satisfaisante au problème. Un problème de recherche est ainsi «une interrogation explicite relative à un problème à examiner et à analyser dans le but d'obtenir de nouvelles informations» (Fortin *et al*., 1988, p. 66).

Les trois exemples suivants permettent de mieux comprendre ce qu'on entend par écart entre une explication d'un phénomène et les observations de la réalité :

Exemple 1 : Une intervenante communautaire travaillant dans un module jeunesse s'interroge sur les raisons qui pourraient expliquer pourquoi certains adolescents du territoire s'adonnent au vandalisme ou à la violence. Or, selon une explication courante, les adolescents issus de familles dont les parents sont séparés adoptent plus que d'autres des conduites délinquantes. L'intervenante, pour sa part, n'a pas remarqué dans sa pratique une prévalence plus grande d'actes délinquan ts chez les adolescents provenant de ce type de famille. On peut donc dire qu'il existe ici un écart entre une explication courante d'un phénomène et l'observation de la réalité par l'intervenante. Dans ce cas, l'effort de recherche visera à identifier un ensemble de facteurs (incluant probablement le contexte familial) qui expliquent l'adoption de conduites délinquantes par les adolescents.

Exemple 2 : Un responsable de programme en prévention des maladies cardio-vasculaires s'interroge sur l'efficacité des mesures de dépistage (tension artérielle, cholestérol, évaluation de la forme physique) comme moyen d'action pour diminuer les comportements à risque (tabagisme, sédentarité, alimentation) chez une population de travailleurs. À plusieurs reprises, le responsable a constaté que le fait d'apprendre qu'ils ont un problème de santé ne pousse pas ces travailleurs à abandonner les comportements à risque. La situation problématique découle ici d'un doute sur l'efficacité de l'intervention (en l'occurrence le dépistage). Le but de l'étude est d'évaluer les effets de l'intervention, c'est-à-dire de déterminer si elle contribue à diminuer les comportements à risque chez un groupe de travailleurs et à quelles conditions de tels effets sont obtenus.

Exemple 3 : Les responsables d'un CLSC ont décidé d'expérimenter un nouveau programme de maintien à domicile fondé sur l'approche des plans de services individualisés. Cette approche, qui a été utilisée pour des personnes vivant avec un handicap physique ou mental, n'a jamais été employée pour des personnes âgées vivant à domicile. La situation problématique réside ici dans le fait que l'efficacité de la nouvelle approche n'a pas été démontrée. Le but de l'étude consiste à évaluer le nouveau programme de maintien à domicile.

Par ailleurs, il existe de nombreux cas où un responsable de programme, un administrateur ou toute personne appelée à prendre des décisions aimerait avoir plus d'information sans qu'il y ait pour cela une situation problématique qui puisse donner naissance à un problème de recherche. Les exemples suivants illustrent cette réalité:

Exemple 4 : Les responsables d'un CLSC veulent connaître le profil de la clientèle (appartenance ethnique, niveau socio-économique, motifs des consultations) d'une clinique en sexualité–contraception pour adolescents.

TABLEAU 1.1

CIBLES DE LA RECHERCHE EN SANTÉ (*)

RECHERCHES SUR LES ÉTATS DE SANTÉ (a)

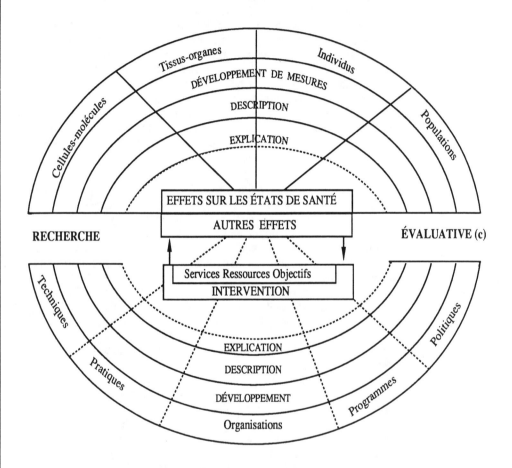

RECHERCHES SUR LES INTERVENTIONS (b)

Source : adapté de BATTISTA, R., CONTANDRIOPOULOS, A.P., CHAMPAGNE, F., WILLIAMS, J.I., PINEAULT, R. et P. BOYLE. "Health Related Research: a Conceptual Framework", *Journal of Clinical Epidemiology,* 1989, 42 (12) : 1155-1160.

* Les surfaces des différents domaines de recherche ne sont pas représentatives de leur importance relative.

TABLEAU 1.1
(suite)

(a) La recherche sur les états de santé

Elle peut être conduite à différents points de vue: molécules, cellules, organes, systèmes biologiques **entiers** (humains ou autres), populations. Ses objectifs sont de décrire et d'expliquer les phénomènes qui agissent d'une façon ou d'une autre sur la santé des êtres humains. Elle inclut aussi les activités qui visent à mesurer les états de santé. Elle constitue, entre autres, le domaine de l'épidémiologie lorsque le sujet des études est une population, celui de la recherche clinique quand elle porte sur des sujets humains et vise à mieux outiller les cliniciens pour des fins de prévention, de traitement ou de réadaptation et celui de la recherche biomédicale dans les autres cas.

Exemples de recherches sur les états de santé

- Influence du stress sur la sécrétion biliaire;
- Influence de la chimiothérapie sur les risques de développement de leucémie et de cancers secondaires;
- Rôle de la pauvreté sur l'état de santé;
- Construction et validation d'un instrument de mesure de la santé mentale d'une population.

(b) La recherche sur les interventions

Elle peut être définie comme la recherche qui a pour objet de décrire, d'expliquer, d'élaborer des interventions. Par intervention, on entend un ensemble d'activités présupposant la mise en oeuvre de moyens organisés de façon cohérente dans le temps et dans l'espace, pour modifier une situation. Encore ici, la recherche sur les interventions peut être conduite à différents points de vue: pratiques, techniques, programmes, organisations politiques, systèmes de santé.

Exemples de recherches sur les interventions

- Analyse des facteurs explicatifs de la démotivation du personnel infirmier;
- Rôle du paiement à l'acte sur l'utilisation des services de santé;
- Influence de la structure des organisations sur les décisions stratégiques des directeurs généraux;
- Mise au point d'une technique pour déterminer les services de santé requis par les personnes âgées.

(c) La recherche évaluative

Elle consiste en l'utilisation de méthodes scientifiques pour formuler un jugement «avant et après» sur une intervention, pour en évaluer la pertinence et les effets, et pour comprendre les relations entre ses composantes et les effets produits dans un but d'aide à la prise de décision.

La principale caractéristique de cette recherche est d'avoir une fonction charnière entre la recherche sur les états de santé et la recherche sur les interventions en santé. Elle fait partie de la recherche explicative sur les états de santé dans l'analyse des effets ou du rendement d'une intervention. La variable dépendante est alors la santé. Mais elle appartient aussi au domaine de la recherche explicative sur les interventions quand on analyse, par exemple, la pertinence d'une intervention ou encore son efficacité économique.

Exemples de recherches évaluatives

- Analyse de l'implantation de la rémunération à vacation des médecins dans les centres d'accueil;
- Influence d'un mécanisme de rétroaction d'information auprès des médecins sur la qualité des soins;
- Analyse coût–efficacité de la chirurgie d'un jour;
- Effets d'un programme de services à domicile pour les personnes âgées au sujet de leur autonomie fonctionnelle;
- Analyse du rendement d'une technologie nouvelle.

Il n'y a pas ici de situation problématique en tant que telle. La description d'un phénomène n'est pas en soi un problème de recherche.

Exemple 5: L'administration d'un centre hospitalier spécialisé en cardiologie se demande quelle proportion de sa clientèle potentielle elle dessert. Si cette interrogation n'a comme conséquence que de réunir de l'information de nature administrative sur les opérations d'une organisation, il ne s'agit pas d'une recherche. La collecte de ce type d'information fait généralement partie des responsabilités normales de gestion d'une organisation; elle peut l'exécuter elle-même ou confier cette tâche à des consultants.

Au départ, la formulation du problème est très générale; puis, peu à peu, elle doit devenir plus précise. Pour cela, il faut expliquer le raisonnement qui a conduit à définir le problème à l'étude, déterminer quelles sont les différentes explications possibles du phénomène étudié et indiquer celle qui est retenue. Il faut, en quelque sorte, donner les grandes lignes du modèle théorique choisi. Ainsi, si on s'intéresse aux facteurs qui expliquent pourquoi certaines écoles secondaires ont adopté plus que d'autres des programmes de prévention et d'éducation sanitaire, on pourra présenter le problème à l'étude en examinant sommairement les différents modèles d'analyse du changement proposés dans les écrits sur le sujet pour ensuite préciser quelle approche sera retenue dans la recherche. Cette première présentation du modèle théorique adopté par le chercheur sera précisée dans les deux sections subséquentes du protocole.

En somme, la formulation du problème à l'étude comportera non seulement un exposé de la situation problématique (pourquoi, par exemple, certaines écoles innovent-elles plus que d'autres?), mais aussi une présentation sommaire du modèle ou de la théorie qui sera utilisée pour répondre à la question de recherche.

Dans une recherche évaluative, il faut décrire en détail l'intervention que l'on veut évaluer de façon que l'on puisse comprendre pourquoi l'intervention devrait donner des effets. Cette description doit inclure la situation qui a justifié la mise en place de l'intervention, ses objectifs, les ressources employées et la façon dont elles sont organisées, les activités ou les services qui sont produits et, finalement, la population cible de l'intervention. (*Une description plus détaillée de l'intervention évaluée peut être fournie en annexe.*) Dans ce type de recherche, il faut également indiquer la cible de l'évaluation, c'est-à-dire les relations entre les composantes de l'intervention qui seront analysées. En d'autres termes, il faut préciser si l'on veut faire une analyse des effets, une analyse du rendement, une analyse de la productivité, une analyse de l'implantation, une analyse de l'intervention ou encore une analyse stratégique. Le tableau 1.2 donne des exemples de questions auxquelles ces différents types de recherche évaluative peuvent répondre.

Lorsqu'il tente de formuler de façon explicite son problème de recherche, le chercheur doit être très conscient des différences qui existent entre, d'une part, les connaissances qu'un décideur peut souhaiter avoir pour prendre une décision et, d'autre part, ce qui peut constituer un problème de recherche.

Ainsi, il n'est probablement pas pertinent de vouloir mener une étude sur un problème qui a déjà été largement étudié par d'autres chercheurs et sur lequel il existe déjà beaucoup d'informations. Par contre, si l'on se propose d'étudier un problème qui a déjà fait l'objet de nombreuses recherches (comme l'aide à domicile pour les personnes âgées), il faut expliquer très clairement comment le contexte particulier de la recherche envisagée diffère de tous les autres et comment ce nouveau contexte pourrait influencer la nature des résultats obtenus.

Ce n'est pas non plus parce qu'un problème est jugé socialement important relativement au coût ou à la gravité des conséquences qu'il constitue forcément un problème de recherche. En effet, il peut arriver qu'un problème soit déjà bien documenté, que des solutions soient connues, mais qu'elles ne soient pas mises en oeuvre pour des raisons politiques, administratives ou culturelles, par exemple, la fluoruration de l'eau de consommation comme mesure de prévention de la carie dentaire. Dans ce cas, il n'y a pas de problème de recherche.

e) Stade de développement de la recherche

Il peut arriver qu'avant d'entreprendre une étude importante, on veuille réaliser une recherche exploratoire ou des études préalables. Dans ce cas, il faut le souligner dans cette première section du protocole en indiquant l'objectif général poursuivi et en précisant sur quoi porte le protocole soumis.

Le but d'une recherche exploratoire est de décrire soit la ou les variables dépendantes, soit une ou plusieurs variables indépendantes. Ce type de recherche est nécessaire quand on ne connaît pas l'ampleur ou la variabilité des variables dépendantes ou des variables indépendantes. Les études préalables visent à apprécier la faisabilité de la recherche (disponibilité, qualité des données, coût de leur acquisition, accès à la population à l'étude), ou à prétester les instruments de collecte de données.

f) Utilisation des résultats de la recherche

Il faut indiquer très brièvement qui seront les principaux utilisateurs des résultats de la recherche. Cela permet d'expliquer quel est l'enjeu principal du travail entrepris. Il peut s'agir:

- soit d'acquérir de nouvelles connaissances destinées principalement à être utilisées par d'autres chercheurs (*recherche fondamentale*), ou encore d'ajouter aux connaissances existantes dans un domaine ou une discipline, de valider une méthode de recherche, un instrument de collecte de données, une technique de mesure ou une méthode d'analyse;

- soit d'obtenir des données utiles pour aider à la prise de décision, planifier une intervention, porter un jugement sur une intervention, prévoir des comportements ou encore mettre au point une nouvelle intervention (*recherche appliquée*).

En résumé, dans cette première section du protocole, le chercheur présente le sujet général sur lequel porte sa recherche et en montre l'importance. Il doit arriver à éveiller la curiosité du lecteur et ensuite formuler de façon explicite son problème de recherche en montrant que ce problème exige de trouver une explication à un phénomène qui suscite des interrogations pour une des trois raisons suivantes: on ne connaît pas les effets d'une intervention, on ne comprend pas les relations entre plusieurs phénomènes ou encore les résultats des études sur un sujet donné sont contradictoires.

TABLEAU 1.2

QUESTIONS DE RECHERCHE ÉVALUATIVE

Analyse stratégique:

L'intervention est-elle justifiée par rapport aux problèmesde la population et est-il pertinent que ce soit cet intervenant qui en prenne la responsabilité?

Analyse de l'intervention:

L'intervention permet-elle d'atteindre les objectifs de façon satisfaisante?

Analyse de la productivité:

Les ressources sont-elles utilisées de façon à maximiser la valeur des services produits?

Analyse des effets:

Quels sont les effets attribuables à l'intervention?
(En laboratoire, en situation d'essai contrôlé, en situation clinique, auprès d'une population vivant dans son milieu habituel)

Analyse du rendement:

À quel coût les effets de l'intervention sont-ils obtenus?

Analyse de l'implantation:

Comment et pourquoi les effets varient-ils dans les différents milieux où l'on intervient ?

Section 2 - ÉTAT DES CONNAISSANCES

But:	Montrer comment le problème de recherche s'inscrit dans le champ des connaissances sur le sujet et comment les connaissances permettent de préciser les questions ou les hypothèses de recherche
Contenu:	Présentation des connaissances – sur le problème étudié – sur les variables à l'étude – sur les travaux méthodologiques pertinents
Longueur: 3 à 4 pages	

Dans cette section, il s'agit de montrer de façon concise et claire comment le problème de recherche retenu s'inscrit dans le champ des connaissances sur le sujet et comment ces connaissances vont permettre de préciser les questions ou les hypothèses de recherche.

Aucune recherche ne part de zéro : toute activité scientifique participe à un processus cumulatif d'acquisition des connaissances. On peut considérer que la connaissance scientifique résulte d'une démarche cyclique aux dimensions à la fois déductive et inductive (*Figure 1.1*). L'amorce d'une étude ou d'un projet de recherche est représentée par l'hémisphère droit de la figure. La recherche vise à mettre à l'épreuve un modèle théorique, à faire un test empirique rigoureux de la valeur d'une explication. Pour cela, on commence par faire dériver des hypothèses d'un modèle théorique; ensuite, on procède à des observations pour évaluer ces hypothèses. Cette approche correspond au modèle hypothético-déductif de la recherche.

L'hémisphère gauche du schéma illustre une deuxième phase du processus de recherche. À la suite des observations, un retour est opéré sur le modèle théorique. Cette phase procède par généralisations empiriques où les observations servent à énoncer certaines relations entre les différentes variables à l'étude, pour ensuite porter un jugement critique sur la théorie et éventuellement effectuer des modifications.

La connaissance scientifique s'appuie sur un cycle composé d'un moment d'induction et de déduction. Les études ou les recherches présupposent donc toujours, implicitement ou explicitement, l'existence d'un modèle théorique qui sert à élaborer les questions ou les hypothèses de recherche et qui guide le chercheur dans ses observations. Une activité de recherche ne peut être complètement inductive, c'est-à-dire présenter uniquement un plan ou une stratégie pour observer la réalité dans le but de formuler a posteriori une explication. Le choix de ce que l'on observe repose généralement sur une idée. En effet, on ne peut a priori tout observer; même le plus inductif des chercheurs sélectionne ce qu'il observe.

La section du protocole qui porte sur l'état des connaissances a pour objet de montrer que la recherche envisagée participe à la progression générale de connaissances. Elle doit permettre au lecteur de comprendre où en est l'état des connaissances sur le problème de recherche présenté par le chercheur.

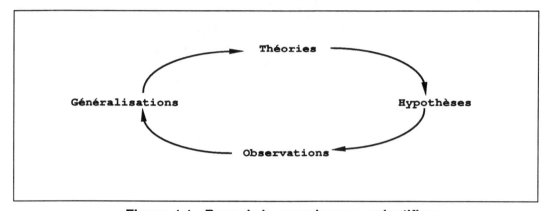

Figure 1.1: Roue de la connaissance scientifique
Source : adaptée de Wallace, W., *The Logic of Science in Sociology*,
Chicago, Aldine-Atherton, 1971

D'une façon générale, la recension des écrits doit permettre au chercheur de justi-fier la formulation de son problème de recherche, d'en préciser les questions ou les hypo-thèses, de choisir le meilleur devis possible ainsi que les méthodes d'analyse les plus appropriées.

Les travaux à considérer sont ceux qui portent:

• sur des problèmes similaires à celui de l'étude, sur les mêmes populations ou au sujet des mêmes interventions;

• sur la ou les variables dépendantes, sur la ou les variables indépendantes ainsi que sur les relations entre les variables à l'étude;

• sur les travaux méthodologiques pertinents à la recherche entreprise, devis, mé-thode d'analyse, validité d'instruments de mesure, etc.

La revue de l'état des connaissances doit être synthétique et critique. Les connais-sances existantes doivent être articulées de manière à couvrir les dimensions pertinentes du problème présenté dans la section 1. L'état des connaissances ne doit pas être une sim-ple succession de résumés de lectures et encore moins une simple liste bibliographique. Il faut faire ressortir ce que les documents consultés apportent à la compréhension du problème de recherche retenu. De plus, il faut présenter les connaissances de façon criti-que, indiquer les limites des conclusions, montrer les lacunes méthodologiques des travaux.

Bien souvent, les réviseurs ne sont pas des experts dans le domaine du projet qu'ils évaluent, et c'est la lecture de l'état des connaissances qui doit leur permettre de se faire une idée de la pertinence de la recherche proposée. Dans cette section du protocole, le chercheur doit donc faire le point sur ce qui est connu au sujet de son problème de recherche, sur ce qui soulève encore des questions, ainsi que sur les différentes approches théoriques qui ont été retenues.

Les travaux dont il faut tenir compte dans l'état des connaissances doivent être récents. Cependant, le caractère récent d'une étude n'est pas forcément un gage de sa qualité ou de son importance. Par ailleurs, il ne faut pas hésiter à inclure, dans l'état des connaissances, ce que l'on pourrait appeler les «classiques» du domaine à l'étude.

Pour préparer la section sur l'état des connaissances, le chercheur utilise en général des travaux publiés. Dans de nombreux cas toutefois, il peut être aussi pertinent de rendre compte de travaux qui ne sont pas encore publiés ou qui sont en cours de réalisation, et même de faire appel à des informateurs clés. Quand on utilise ce type de matériel, il faut examiner de façon particulièrement critique sa qualité scientifique et le contexte dans lequel il a été préparé.

Dans le cas où les écrits sur le problème de recherche sont très peu abondants, inexistants, ou que le sujet n'a pas fait l'objet de publication récente, il faut le préciser dans le protocole et indiquer les démarches qui ont été faites pour obtenir la documentation pertinente.

L'état des connaissances peut être préparé en consultant les sources primaires d'information, c'est-à-dire les articles scientifiques, les livres, les thèses et les mémoires, les documents officiels, etc. Dans ce cas, la recherche documentaire se constitue de façon cumulative. On part d'un petit nombre d'articles et, en consultant les bibliographies de ces premiers travaux, on élargit l'étendue des travaux à consulter. On peut aussi repérer les principales revues dans lesquelles les travaux les plus intéressants sont publiés et systématiquement consulter les tables des matières de ces revues pour trouver les travaux les plus récents sur le domaine de recherche. Cette démarche doit se poursuivre jusqu'au moment où le chercheur a le sentiment d'avoir une emprise suffisante sur son domaine de recherche, c'est-à-dire où les nouveaux documents qu'il trouve reprennent ce qu'il sait déjà et se réfèrent aux auteurs qu'il a déjà lus (*principe de saturation*).

Il est aussi possible d'utiliser des sources secondaires d'information. Ces sources sont constituées, d'une part, par les articles synthèses ou les bibliographies annotées sur le sujet et, d'autre part, par les systèmes informatisés de repérage bibliographique comme le «MEDLINE». Il est enfin essentiel de fournir à la fin du protocole la liste bibliographique des travaux qui ont été consultés et utilisés.

En résumé, la section du protocole qui porte sur l'état des connaissances doit permettre au lecteur de comprendre ce qui est connu sur le problème de recherche retenu, et quel modèle théorique permet d'intégrer les connaissances. C'est en s'appuyant sur ces connaissances et sur le modèle théorique retenu que le chercheur doit, dans la section suivante, expliquer ses hypothèses.

Section 3 - MODÈLE THÉORIQUE ET HYPOTHÈSES OU QUESTIONS DE RECHERCHE

But :	Conclure le travail théorique et conceptuel fait dans les deux sections précédentes en proposant un modèle théorique pour résoudre le problème de recherche et formuler des hypothèses ou des questions de recherche
Contenu :	– présentation du modèle théorique retenu – formulation des hypothèses ou des questions
Longueur :	1 à 2 pages

Cette section sert de conclusion au travail théorique et conceptuel fait dans les deux sections précédentes. Après avoir cerné une situation problématique et exposé l'état des connaissances sur cette question, il s'agit d'expliquer sous forme de modèle la solution théorique retenue pour résoudre le problème soulevé et de proposer un test pour mettre cette solution à l'épreuve. Cette section vise à convaincre l'évaluateur que le modèle théorique proposé est suffisamment solide et prometteur pour être testé par la recherche envisagée, et que la ou les hypothèses suggérées constituent une épreuve valide dont les résultats permettront de porter un jugement, au moins partiel, sur le modèle théorique.

a) Modèle théorique retenu

Au sens strict du terme, une théorie est une explication systématique des phénomènes observés et des lois qui s'y rattachent. Une théorie s'exprime par l'énoncé des relations qui existent entre des concepts. Ces énoncés peuvent être excessivement généraux et formalisés, comme dans le cas de la théorie de la gravité ou de la théorie de la relativité. Ils peuvent aussi avoir une portée beaucoup moins grande. Dans ce cas, on parle de modèle théorique plutôt que de théorie.

C'est grâce au travail fait dans l'état des connaissances qu'il est possible de proposer une solution théorique au problème de recherche retenu. La vraisemblance de cette solution théorique dépend de la qualité, de la généralité et du pouvoir explicatif du modèle théorique retenu. Quand plusieurs modèles théoriques sont possibles pour expliquer un phénomène, il faut retenir celui dont le pouvoir explicatif est le plus général.

Le modèle théorique retenu doit donc proposer une solution originale à la situation problématique qui fait l'objet de l'étude projetée. Si un modèle théorique a déjà fait l'objet de publications, il est possible qu'il faille l'adapter et le modifier pour y inclure toutes les facettes du problème étudié. Lorsqu'il n'existe pas de modèle théorique, le chercheur doit en proposer un qui intègre les connaissances existantes et les observations du chercheur en un tout cohérent qui puisse apporter une solution plausible à la situation problématique. Que l'on décide d'adapter une théorie ou un modèle théorique existant, ou que l'on choisisse d'élaborer un modèle original, le modèle théorique retenu et qui sera mis à l'épreuve doit être explicitement présenté dans le protocole de recherche.

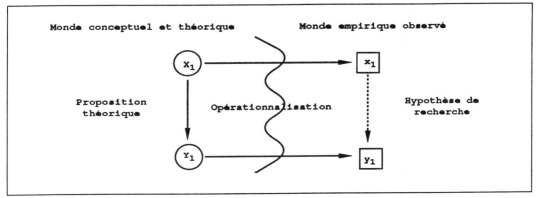

Figure 1.2 : Relations entre le monde théorique et le monde empirique

La figure 1.2 explique les relations possibles entre le monde théorique, qui représente un niveau supérieur de généralisation, et le monde empirique, qui représente la réalité observable et objective. Dans cette figure, les concepts qui forment les éléments d'une explication théorique sont reliés entre eux par des propositions théoriques qui, selon leur niveau de généralisation et la possibilité d'en vérifier empiriquement le bien-fondé, peuvent être des postulats, des lois, des axiomes ou des corollaires.

Les propositions théoriques qui forment la base d'un modèle théorique sont parfois très simples, comme lorsque l'on dit que le virus HIV est à l'origine du sida, ou qu'une saine alimentation diminue le risque d'artériosclérose. La qualité d'un modèle théorique réside dans sa capacité à rendre compte des phénomènes observés dans le monde empirique.

La figure 1.2 montre que chacun des concepts utilisés dans le modèle théorique doit avoir son équivalent dans le monde empirique pour faire l'objet d'une recherche. Cette correspondance entre les concepts et leur corollaire dans le monde empirique que sont les variables (exprimées en lettres minuscules) est essentielle.

En effet, la vérification d'une proposition théorique se fait indirectement par le biais de la vérification empirique d'une relation hypothétique entre deux variables en s'appuyant sur la logique suivante: si la proposition théorique reliant X1 et Y1 est vraie et que x1 et y1 sont des opérationnalisations valides de X1 et Y1, alors une vérification empirique de la relation hypothétique entre x1 et y1 constitue un test (parmi plusieurs autres possibles) de la qualité de la proposition théorique. Par exemple, s'il est vrai qu'une alimentation saine diminue le risque d'artériosclérose, les personnes dont l'alimentation quotidienne est la plus conforme aux recommandations du *Guide alimentaire canadien* devraient avoir une tension artérielle moins élevée que celles qui n'obéissent pas aux recommandations du guide.

Pour que la proposition théorique se trouve renforcée par la vérification empirique, il faut aussi, dans cet exemple précis, que les recommandations du *Guide alimentaire canadien* forment une norme pour une saine alimentation, et que la tension artérielle soit un indicateur valide d'artériosclérose.

b) Formulation des hypothèses ou des questions de recherche

À ce stade-ci de l'analyse, il devrait être clair qu'une hypothèse est la transposition directe d'une proposition théorique dans le monde empirique. Une hypothèse établit une relation qui peut être vérifiée empiriquement entre une cause et un effet supposé. Une hypothèse est donc un énoncé formel des relations attendues entre au moins une variable indépendante et une variable dépendante.

La précision de la relation hypothétique entre les variables retenues est tributaire de l'avancement de l'état des connaissances. Il est bien évident que dans les premières études concernant une question de recherche, la relation énoncée dans l'hypothèse prend une forme relativement grossière. Dans les recherches exploratoires, les hypothèses peuvent même devenir des questions de recherche. Ces questions, par leur caractère propre, doivent témoigner du travail conceptuel effectué par le chercheur et, par leur clarté, permettre d'obtenir une réponse interprétable. Cette relation se précise au fur et à mesure que les connaissances s'accumulent. Dans un domaine où le niveau des connaissances est relativement élevé, la précision des hypothèses doit refléter l'état d'avancement des connaissances.

Les hypothèses doivent toujours être formulées sous la forme d'une relation à vérifier entre au moins deux variables, et non dans les termes d'une hypothèse nulle qui, elle, est impossible à vérifier comme dans le cas de l'hypothèse suivante: «Les programmes de dépistage du cancer du poumon par radiographie ne diminuent pas la mortalité par cancer du sein». En effet, on peut toujours avancer dans ce cas que l'hypothèse nulle a été vérifiée seulement parce que la taille de l'échantillon était trop petite pour permettre d'observer une différence, ou encore que l'absence de différence était due au fait que les instruments de mesure des variables n'étaient pas assez sensibles.

Les hypothèses dans une recherche doivent s'énoncer par des propositions aussi claires et précises que possible, par exemple:

- la pratique d'une activité aérobique de 30 minutes, trois fois par semaine, diminue la pression artérielle;

- les programmes de dépistage du cancer du sein par mammographie diminuent du tiers le risque de mortalité par cancer du sein;

- la consommation de l'équivalent de 500 ml de lait par jour diminue le risque d'ostéoporose et de fracture de la hanche chez les femmes âgées de 65 ans et plus;

- l'intention d'utiliser un condom est associée positivement à la présence de normes sociales préconisant l'adoption de ce comportement.

Dans une même étude, on peut définir une ou plusieurs hypothèses. Lorsqu'il y a plus d'une hypothèse, celles-ci peuvent entretenir entre elles différentes relations. La situation la plus simple consiste en deux hypothèses indépendantes l'une de l'autre (*Figure 1.3a*).

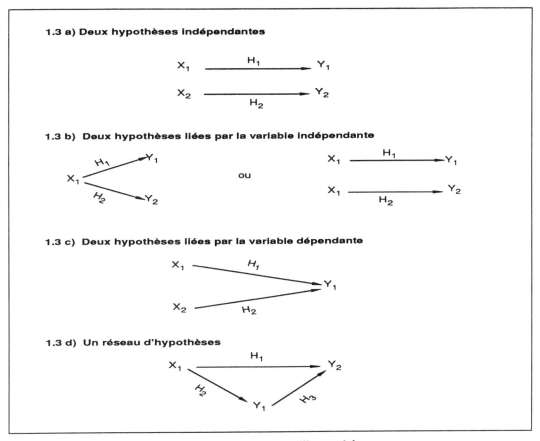

Figure 1.3 : Types d'hypothèses

Ces deux hypothèses pourraient faire l'objet de deux études séparées. La figure 1.3b illustre une situation où deux hypothèses servent à tester deux effets différents d'une même variable indépendante. Ce genre d'hypothèses existe en recherche évaluative et dans les études où l'on suit pendant une longue période une même population. La figure 1.3c illustre une situation où deux hypothèses ont la même variable dépendante. À cause des phénomènes possibles de multicolinéarité entre les variables indépendantes, ces hypothèses ne peuvent pas être testées indépendamment l'une de l'autre.

Enfin, les hypothèses peuvent définir un réseau dans lequel la variable dépendante d'une hypothèse devient la variable indépendante d'une autre hypothèse. Dans la figure 1.3d, la variable Y1 est dépendante dans l'hypothèse H2 (comme l'indique la direction des flèches), mais indépendante dans l'hypothèse H3. Une telle variable est dite intermédiaire ou médiatrice, et sert à préciser les mécanismes par lesquels la variable indépendante X1 influence la variable dépendante principale Y2. La figure 1.3d illustre un modèle plutôt simple qui peut devenir parfois très complexe. Dans un tel cas, il n'est pas pertinent de décomposer ce réseau de relations en hypothèses simples entre deux variables. En réalité, l'hypothèse à vérifier est que l'ensemble du réseau de relations entre toutes les variables reflète l'observation empirique des phénomènes à l'étude.

CHAPITRE 2

CHOIX D'UNE STRATÉGIE DE RECHERCHE

Le présent chapitre du protocole établit la charnière entre la conceptualisation du problème de recherche (chapitre 1), qui a abouti à la formulation d'hypothèses, et le chapitre 3, qui traite des aspects opérationnels de la recherche envisagée. Maintenant, le chercheur choisit la stratégie de recherche qui lui permettra le mieux de répondre à ses questions ou de mettre à l'épreuve ses hypothèses ainsi que le devis de recherche dont la qualité est la plus grande.

Section 4 - STRATÉGIE DE RECHERCHE

But :	Choisir la stratégie de recherche la mieux adaptée pour vérifier les hypothèses ou répondre aux questions, déterminer le devis dont la validité est optimale
Contenu :	- Choix d'une stratégie de recherche - Devis de recherche retenu - Discussion des biais touchant la validité interne du devis - Discussion des biais touchant la validité externe du devis
Longueur :	1 à 2 pages

Dans cette section, il convient tout d'abord de décrire la stratégie de recherche adoptée pour répondre aux questions de la recherche ou vérifier les hypothèses spécifiées dans la section précédente et, ensuite, d'examiner la validité de cette stratégie.

Par **stratégie de recherche,** on entend l'intégration et l'articulation de l'ensemble des décisions à prendre pour appréhender de façon cohérente la réalité empirique afin de soumettre de façon rigoureuse les hypothèses ou les questions de recherche à l'épreuve des faits. Une stratégie de recherche s'élabore généralement en deux temps: premièrement, on détermine une approche générale et ensuite, on choisit un devis de recherche.

a) Détermination d'une approche générale de recherche et choix d'un devis

Il est possible de regrouper les diverses approches de recherche en quatre catégories: la recherche expérimentale (Claude Bernard, 1865), la recherche synthétique, la recherche de développement et la recherche de simulation. Le tableau 4.1 présente ces quatre grands types de stratégie de recherche possibles et les devis correspondants.

1. Recherche expérimentale

La *recherche expérimentale* est celle dans laquelle le chercheur veut idéalement, en agissant de façon active et intentionnelle sur une variable indépendante (le stimulus), connaître ses effets sur une ou des variables dépendantes. L'appréciation des effets d'une variation de la variable indépendante repose sur la possibilité de comparer la situation expérimentale avec une situation témoin. Il y a derrière la recherche expérimentale l'idée que, si les résultats sont concluants, il sera possible d'intervenir de façon délibérée sur le réel. À l'intérieur de la recherche expérimentale, on peut distinguer deux types d'approche selon le degré de contrôle que le chercheur a sur la variable indépendante.

On parle d' *expérimentation provoquée* quand le chercheur a un contrôle très grand sur la variable indépendante. Quand le chercheur peut décider quel stimulus il applique (le quoi), ses modalités d'application (le comment), le moment de l'application (le quand) et qu'il peut aussi choisir qui est soumis au stimulus (le qui), on est dans une situation véritablement expérimentale. Dans cette situation, le contrôle sur la règle de répartition des sujets permet leur «randomisation» , c'est-à-dire leur répartition au hasard entre le groupe-témoin et le groupe expérimental. On parle alors de «recherches expérimentales randomisées».

Cette situation correspond à l'image populaire du savant dans un laboratoire qui étudie l'influence d'un stimulus électrique sur le comportement des souris. Le savant contrôle les différents paramètres qui peuvent influencer le déroulement de l'expérience. Il décide du moment où les souris recevront le stimulus, de l'intensité du choc électrique, du choix des spécimens qui participeront à l'étude (souris issues d'une même souche et ayant un même bagage génétique), et lesquelles seront les témoins («randomisation» des souris en sujets expérimentaux et témoins). D'autres paramètres, comme la température, l'humidité du local et l'intensité lumineuse pourront aussi être contrôlés. Dans cet exemple, le chercheur contrôle une série de variables (bagage génétique, environnement) de manière à limiter ou à bloquer leur influence sur le comportement observé des souris et à isoler l'influence du stimulus électrique.

L'essai clinique «randomisé», dans la situation où une intervention est testée sur des individus, procède de la même logique. La «randomisation» des sujets entre des groupes expérimentaux et témoins ainsi que le contrôle de la manière et du moment d'application du traitement visent à minimiser les variations autres que l'intervention, qui pourraient compromettre la validité des conclusions de l'étude.

Les devis appropriés dans une telle situation sont ceux dans lesquels on répartit de façon aléatoire la population choisie pour l'étude en un ou des groupes que l'on soumet à l'intervention (groupes expérimentaux), et en un ou des groupes à qui l'on ne fait rien (groupes-témoins). Le but de la recherche consiste à comparer les valeurs observées de la variable dépendante dans le groupe expérimental et dans le groupe-témoin. (*Les devis recommandés dans cette situation sont présentés sur le Tableau 4.3.*) Schématiquement, le modèle traditionnel de la recherche expérimentale «randomisée» est illustré sur la figure 4.1.

TABLEAU 4.1

TYPOLOGIE DES STRATÉGIES DE RECHERCHE

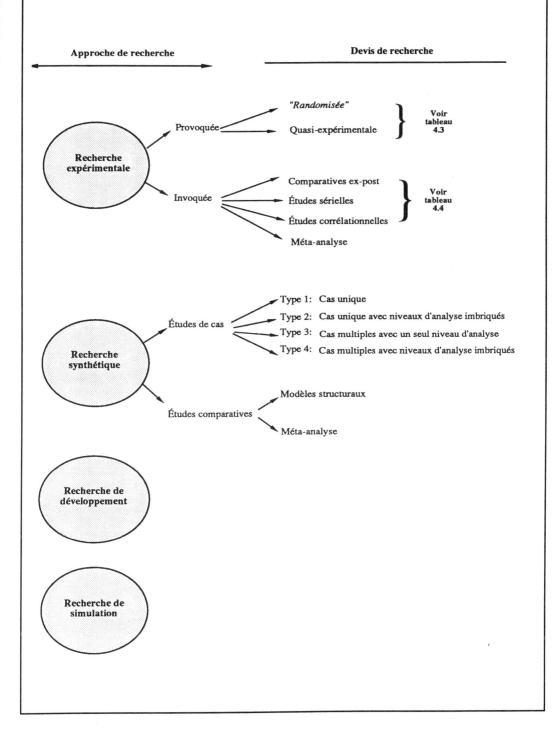

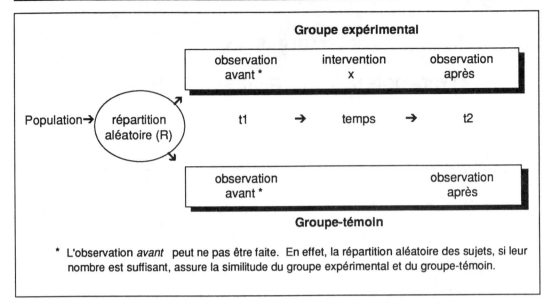

Figure 4.1 : Modèle traditionnel de la recherche expérimentale

Lorsque le chercheur a un contrôle sur le «quoi», le «quand», le «comment», mais pas sur la règle de répartition des sujets, c'est-à-dire sur le «qui», on est dans une *situation quasi expérimentale,* selon la terminologie de Campbell et Stanley (1963). Ce qui distingue les recherches quasi expérimentales des recherches expérimentales «randomisées», c'est que dans les premières, le groupe-témoin ne pourra pas être créé par «randomisation».

Les devis quasi expérimentaux sont donc des adaptations du devis expérimental. Ces adaptations consistent à trouver des moyens permettant de comparer la situation expérimentale avec une situation témoin autrement qu'en créant un groupe-témoin par répartition aléatoire des sujets. Ces moyens dépendent de la possibilité:

- de trouver une population-témoin semblable à la population expérimentale par rapport à tous les facteurs qui peuvent influencer la ou les variables indépendantes (la liste de ces facteurs doit découler de l'état des connaissances);

- de connaître l'évolution temporelle de la variable dépendante. L'évolution de cette variable avant l'intervention sert de situation-témoin à l'évolution après l'intervention qui est la situation expérimentale;

- de pouvoir utiliser simultanément une population-témoin semblable à la population expérimentale et l'étude temporelle de la variable dépendante;

- de répartir les sujets selon une règle de répartition connue mais non aléatoire, par exemple, en distinguant parmi les sujets à l'étude ceux qui ont été soumis ou non à une intervention.

Les devis utilisant ces moyens sont soit des devis avec groupe-témoin non équivalent, soit des devis avec série chronologique, soit encore des séries chronologiques avec groupe-témoin non équivalent (*Tableau 4.3*).

On parle d'*expérimentation invoquée* quand le chercheur ne peut pas manipuler la variable indépendante de son étude et qu'il utilise des variations naturelles ou accidentelles (c'est-à-dire qui ne sont pas organisées par lui) de cette variable dans une logique analogue à la logique de la méthode expérimentale, pour en mesurer les effets sur une ou des variables dépendantes.

La référence à l'incendie de Saint-Basile-le-Grand pour vérifier les effets sur la santé de l'exposition pendant une courte période de temps à une forte concentration de BPC constitue une expérimentation invoquée. Dans la mesure où la variation de la variable indépendante (exposition aux BPC) est analogue à une variation aléatoire, les expérimentations invoquées peuvent avoir une validité semblable aux expérimentations provoquées.

Les devis utilisables dans une situation d'expérimentation invoquée doivent tenir compte du fait que l'on est toujours dans une situation «avant et après» (*Tableau 4.4*). Ces devis sont soit des adaptations de ceux de la recherche quasi expérimentale, soit des devis dans lesquels l'évolution du phénomène dans le temps permet, quand le nombre d'observations est suffisamment grand, d'observer l'influence des variations du phénomène à l'étude (études sérielles).

Il est aussi possible, dans les expérimentations invoquées, de choisir un devis dans lequel le contrôle de l'influence des facteurs, autres que la variable indépendante à l'étude, est effectué par l'emploi de méthodes statistiques appropriées (études corrélationnelles). Finalement, la méta-analyse, c'est-à-dire l'application de méthodes statistiques pour intégrer et synthétiser les résultats de recherches antérieures, peut constituer un devis de recherche expérimentale invoquée lorsqu'elle est utilisée dans le but d'estimer l'effet d'une variable sur une autre (*Tableau 4.4*).

2. Recherche synthétique

La *recherche synthétique* est celle qui, pour expliquer et prévoir des comportements ou des phénomènes complexes, examine l'ensemble des relations qui font intervenir simultanément plusieurs variables dépendantes et plusieurs variables indépendantes dans un modèle de relations interdépendantes. La recherche synthétique se distingue ainsi de la recherche expérimentale où l'on examine de façon linéaire, souvent bivariée, presque toujours unidirectionnelle, la relation entre des variables d'intérêts. En d'autres mots, la recherche expérimentale repose sur une approche analytique, cartésienne, positiviste de la science, alors que la recherche synthétique se veut systémique. Cette stratégie n'implique pas de manipulation provoquée ou invoquée de la variable indépendante, pas plus qu'elle ne nécessite de contrôle sur l'affectation des sujets à l'étude. À l'intérieur de la recherche synthétique, on peut distinguer deux stratégies de recherche, selon que l'on étudie un ou quelques cas ou que l'on travaille sur de nombreuses unités d'analyse.

La *recherche synthétique de cas* ou *étude de cas* est une stratégie dans laquelle le chercheur décide de travailler sur une unité d'analyse (ou sur un très petit nombre d'entre elles). L'observation se fait à l'intérieur du cas. La puissance explicative de cette stratégie repose sur la cohérence de la structure des relations entre les composantes du cas, ainsi que sur la cohérence des variations de ces relations dans le temps. La puissance explicative découle donc de la profondeur de l'analyse du cas et non du nombre des unités d'analyse étudiées.

Yin (1984) distingue quatre devis utilisables dans cette stratégie de recherche:

- cas unique (analyse holistique);
- cas unique avec niveaux d'analyse imbriqués;
- cas multiples avec un seul niveau d'analyse;
- cas multiples avec niveaux d'analyse imbriqués.

Ces devis se distinguent par le nombre de cas ou d'unités d'analyse retenus et le nombre de niveaux d'analyse considérés. L'étude de cas unique avec un seul niveau d'analyse (holistique) étudie en profondeur une situation ou un phénomène sans définir différents niveaux d'explication aux processus qui sont observés. Ce devis conduit à décrire et à expliquer de façon globale la dynamique d'une organisation ou le fonctionnement d'un programme, sans porter attention aux composantes particulières qui structurent l'objet d'étude.

L'étude de cas unique avec plusieurs niveaux d'analyse (unités d'analyse imbriquées) porte sur différents niveaux d'explication d'un phénomène. La définition des niveaux d'analyse doit être faite à la lumière de la théorie sous-jacente à la recherche. Le recours à plusieurs niveaux d'analyse permet bien souvent de concevoir un cas qui répond mieux à la question de recherche. Par exemple, l'étude de l'évolution d'une intervention peut se faire par référence à la fois aux réactions des dispensateurs de services (premier niveau d'analyse) et aux comportements des organisations (deuxième niveau d'analyse) touchées par celle-ci.

L'étude de cas unique, qu'elle s'appuie sur un ou plusieurs niveaux d'analyse, offre un potentiel élevé de validité interne. L'observation d'une seule situation (unité) limite toutefois la validité externe de ce devis (Yin, 1984). La réalisation d'études de cas multiples permet, en opérant selon une logique de reproduction, de généraliser avec plus de confiance les conclusions. En effet, l'analyse de plusieurs cas vise à juger s'il y a reproduction des processus étudiés dans différents milieux.

L'étude de cas multiples peut, comme l'étude de cas unique, comprendre un ou plusieurs niveaux d'analyse. Par exemple, on peut étudier l'implantation d'un programme dans trois organisations en s'arrêtant aux groupes de spécialistes (premier niveau d'analyse) et à l'organisation dans son ensemble (deuxième niveau d'analyse) pour juger s'il y a réplique des résultats dans les trois cas.

La *recherche synthétique comparative* est une stratégie dans laquelle le chercheur décide de travailler sur un grand nombre d'unités d'analyse. La puissance explicative d'une telle stratégie repose sur la comparaison de la variabilité des différents attributs des unités d'analyse. Pour que cette stratégie soit utilisable, il faut que le nombre d'unités d'analyse soit beaucoup plus grand (au moins 10 fois plus) que le nombre d'attributs étudiés (degrés de liberté de l'étude). La puissance explicative de cette stratégie est d'autant plus grande que le nombre d'unités d'analyse est grand.

Les devis utilisables quand on adopte cette stratégie sont, entre autres, la modélisation des relations structurales et la méta-analyse. La modélisation des relations structurales est un devis qui consiste à analyser un système de relations interdépendantes en vue de mettre à l'épreuve un modèle théorique. Par ailleurs, la méta-analyse pourrait aussi être utilisée, ici, pour examiner la plausibilité d'un système de relations.

3. Recherche de développement

La *recherche de développement* est la stratégie de recherche qui vise, en utilisant de façon systématique les connaissances existantes, à mettre au point une intervention nouvelle, à améliorer considérablement une intervention qui existe déjà ou encore à élaborer ou à perfectionner un instrument, un dispositif ou une méthode de mesure (O.C.D.E. 1980). Cette stratégie de recherche ne peut servir à soumettre à l'épreuve de faits une ou des hypothèses de recherche; elle est appropriée quand la question de recherche est du type: *Comment mesurer la santé émotionnelle des enfants? Comment établir la quantité et le type de services infirmiers requis par des patients hospitalisés?* ou encore *Comment répartir de façon équitable un budget pour les soins à domicile entre différentes unités territoriales?*

Les devis appropriés à la recherche de développement doivent permettre de s'assurer de la qualité de l'intervention ou du dispositif de mesure élaboré. Il faut donc qu'ils permettent de s'assurer de la fiabilité, de la validité et de la précision de l'intervention ou du dispositif. Les devis permettant d'atteindre ces résultats peuvent être déduits de la discussion présentée plus loin (*Section 6 c*) sur les méthodes d'appréciation de la qualité des instruments de mesure. Dans le cas de la recherche de développement, ce n'est pas seulement aux instruments de mesure que les méthodes d'appréciation de la qualité s'appliquent, mais aussi aux interventions elles-mêmes.

Une attention particulière devra être apportée à la discussion des conditions d'appréciation de l'intervention élaborée. Une recherche de développement devrait permettre de définir explicitement dans quelles conditions (où, quand, auprès de qui) une intervention devrait donner les résultats attendus.

4. Recherche de simulation

La *recherche de simulation* est une stratégie de recherche différente de toutes celles décrites jusqu'à présent. Elle n'a pas comme ambition de soumettre à l'épreuve des faits observés à partir des hypothèses déduites d'un modèle théorique, mais plutôt de simuler le comportement «d'un système sur une certaine période (scénario) de façon plus ou moins quantifiée» en agissant sur les variables et les paramètres du modèle construit pour le représenter (Walliser, B., 1977, p. 183).

La simulation consiste ainsi à manipuler les différents groupes de variables d'un modèle (variables de commande, variables internes ou paramètres structuraux du modèle, variables d'environnement), soit pour comprendre le fonctionnement du système à l'étude (fonction cognitive), soit pour prévoir comment évoluerait le système selon différentes valeurs des variables de commande (fonction prévisionnelle), soit pour déterminer quelles valeurs devraient prendre les variables de commande pour atteindre des objectifs (fonction décisionnelle), soit enfin pour représenter les relations souhaitables entre les variables d'entrée et les variables de sortie (fonction normative) (Walliser, B., 1977).

Pour faire une recherche de simulation, il faut que le modèle du système que l'on veut étudier soit entièrement formalisé (de façon déterministe ou aléatoire). Ce type de recherche a des exigences propres et des méthodes particulières qui ne sont pas examinées en détail dans ce document.

5. Conclusion

Dans le protocole, le chercheur n'a pas à examiner les avantages et les inconvénients de chaque stratégie de recherche, mais il doit justifier le choix de celle qu'il a retenue. Il est essentiel, lorsqu'on choisit une stratégie de recherche, de bien comprendre qu'aucune approche de recherche n'est, pour toutes les questions, toujours la meilleure. Le choix d'une stratégie de recherche doit se faire en considérant, entre autres, la nature du problème de recherche, le contexte dans lequel la recherche se fera, la formation et l'expérience du chercheur. Ainsi, si un chercheur clinicien et épidémiologiste voulait évaluer les effets thérapeutiques d'un médicament, il choisirait probablement un devis expérimental avec «randomisation». Par contre, si un anthropologue s'intéressait aux effets d'un médicament sur des individus de différentes cultures, il pourrait parfaitement choisir de faire une recherche synthétique comparative, à partir d'entrevues auprès des individus qui utilisent le médicament. Il n'y a pas une stratégie qui soit toujours la meilleure pour répondre à un problème de recherche, mais plutôt **des** stratégies qui maximisent, par rapport à certains contextes, la qualité de la recherche.

Un commentaire similaire vaut pour les devis qui doivent souvent être adaptés de façon spéciale pour pouvoir répondre aux besoins particuliers d'une recherche et s'adapter au contexte dans lequel elle s'inscrit. C'est d'ailleurs dans le choix d'une stratégie de recherche et dans l'adaptation d'un devis à la situation qui l'intéresse que le chercheur manifeste réellement son art.

b) Validité de la stratégie de recherche

Deux grands critères servent généralement à apprécier la qualité de la stratégie de recherche retenue et, plus particulièrement, du devis choisi pour soumettre une hypothèse à l'épreuve des faits. Il s'agit de la validité interne du devis et de sa validité externe [Campbell et Stanley (1963); Cook et Campbell (1979); Campbell (1986)].

La *validité interne* d'un devis de recherche est assurée par les caractéristiques du devis, qui permettent d'être certain que les relations observées empiriquement entre les variables, dépendantes et indépendantes de la recherche, ne puissent pas être expliquées à l'aide d'autres facteurs ou d'autres variables que ceux pris en considération par le devis de recherche adopté.

Ainsi, si l'on veut apprécier auprès d'adolescents l'influence d'un programme de formation sur la consommation de drogue, il sera difficile d'attribuer à celui-ci une baisse de la consommation si, au même moment, le ministère de la Santé et des Services sociaux mène une campagne d'information importante sur le sujet. Dans un tel cas, la validité interne de la stratégie de recherche est faible, car elle ne permet pas de discriminer entre les différents facteurs qui peuvent expliquer des variations dans le niveau de consommation de drogue chez les adolescents. En somme, le devis de recherche doit permettre d'éliminer toutes les explications rivales ou plausibles qui pourraient expliquer les résultats observés, de façon à pouvoir porter un jugement valide sur le degré de confirmation des hypothèses de la recherche menée. Cette validité est essentiellement pragmatique. Elle repose sur le choix et l'adaptation judicieuse d'un devis et permet de dire s'il existe ou non une relation entre les variables de l'étude.

La *validité externe* d'une recherche est dépendante des caractéristiques qui permettent de généraliser, d'étendre les résultats obtenus à d'autres populations, d'autres contextes, d'autres périodes.

La validité externe d'une recherche repose essentiellement sur le caractère plus ou moins général du modèle théorique sur lequel s'appuie la recherche. Elle dépend ainsi de la possibilité de montrer que les résultats obtenus dans une recherche déterminée, faite dans un contexte donné, ne sont dépendants ni du contexte, ni de la situation particulière créée par le processus de recherche lui-même.

La façon dont les biais qui peuvent menacer la validité interne et la validité externe d'un devis sont contrôlés est différente selon que la recherche est expérimentale ou synthétique.

1. *Validité des recherches expérimentales*

1.1 *Validité interne*

Dans les recherches expérimentales, la validité interne est garantie par l'efficacité avec laquelle le devis parvient à éliminer toutes les explications plausibles autres que l'influence de la variable indépendante sur la variable dépendante. Ces biais existent quand le devis de recherche choisi ne permet pas d'éliminer l'influence de toutes les variables autres que la variable indépendante qui pourrait expliquer la variation observée dans la ou les variables dépendantes.

La possibilité que de tels biais se manifestent réside soit dans un contrôle imparfait de la situation expérimentale (biais associés au temps et à la sélection du groupe témoin), soit à une intervention insuffisamment contrôlée, soit enfin à une variabilité dans la mesure des effets. Les principaux biais qui peuvent influencer la validité interne d'une recherche expérimentale sont définis sur le tableau 4.2. Dans la section du protocole qui examine la validité interne du devis retenu, il faut démontrer que tous les biais plausibles sont soit contrôlés par le devis, soit évalués par celui-ci, c'est-à-dire que le chercheur est conscient de leur existence et qu'il a pensé aux moyens de mesurer leurs effets ou d'éliminer leur influence. C'est dans la mesure où ce travail aura été fait de façon systématique qu'il sera possible de conclure avec confiance qu'il existe ou non des relations entre la variable indépendante et la ou les variables dépendantes de l'étude.

Les biais qui peuvent influencer les résultats des principaux devis sont identifiés sur les tableaux 4.3 et 4.4. Sur ces tableaux sont énumérés uniquement les biais qui ne sont pas contrôlés naturellement par le devis retenu. C'est en s'appuyant sur les tableaux 4.2, 4.3 et 4.4 que le chercheur devra préparer, quand il fait une recherche expérimentale, la section qui porte sur la validité interne de sa recherche.

1.2   Validité externe

La validité externe d'une recherche expérimentale est fortement menacée par l'interaction qui existe souvent entre la situation expérimentale et les résultats obtenus. Cela est particulièrement vrai pour les expérimentations provoquées. Pour étendre les résultats de la recherche à des situations autres que la situation expérimentale, il est donc essentiel de comprendre les mécanismes qui sont à l'origine des effets obtenus. Il faut comprendre le rôle de la variable indépendante dans l'explication des effets et l'ensemble des effets associés à une variation de l'intervention. Le tableau 4.2 donne la liste des principaux biais qui peuvent jouer sur la validité externe d'une recherche expérimentale. La possibilité pour ces biais de menacer la validité externe des principaux devis de la recherche expérimentale est considérée à l'intérieur des tableaux 4.3 et 4.4.

2. Validité des recherches synthétiques

2.1   Validité interne

Dans les recherches synthétiques, la validité interne repose sur la capacité d'une étude à mettre à l'épreuve, de façon simultanée, un ensemble de relations composant un modèle théorique. On peut apprécier plus précisément leur validité par:

- la qualité, la complexité et l'exhaustivité de l'articulation théorique sur laquelle s'appuie l'étude;

- l'adéquation entre le mode d'analyse choisi et le modèle théorique à mettre à l'épreuve.

L' articulation théorique d'une recherche synthétique doit refléter toutes les différentes composantes du problème à l'étude et énoncer les relations entre ces éléments. Le modèle doit permettre de définir un ensemble logiquement cohérent de propositions théoriques ou d'hypothèses qui seront mises à l'épreuve lors de l'analyse. C'est le degré de conformité entre ce système de propositions ou de relations théoriques et la réalité empirique de cet ensemble de relations qui permet de poser un jugement relativement solide sur la valeur explicative du modèle. Une source importante de validité interne pour les études d'observation découle de la capacité à «tester» les implications multiples d'un modèle théorique. Plus le modèle théorique prévoit de tests empiriques, c'est-à-dire plus il est complexe, plus on peut être confiant de la validité interne d'une étude dans laquelle le modèle serait vérifié. Selon cette logique, une mise à l'épreuve exhaustive et large du modèle minimise le risque que des biais (éléments non contrôlés) permettent d'expliquer les conclusions issues de ce type de recherche. Le modèle théorique conduit à apprécier de façon systématique une multitude de sources de variations à l'intérieur d'un même système empirique et à préciser les relations entre celles-ci.

Le *mode d'analyse d'une recherche synthétique* se définit comme l'approche retenue pour s'assurer d'un test suffisamment rigoureux du modèle théorique par rapport à la réalité empirique. Le mode d'analyse choisi doit permettre cette mise à l'épreuve simultanée du système de relations contenu dans le modèle théorique et ainsi contribuer à accroître la validité interne de la recherche.

Trois modes d'analyse peuvent être utilisés: l'appariement d'un modèle à la réalité, la construction d'une explication et les séries chronologiques (voir Yin, 1984, pour l'emploi de ces stratégies dans les recherches sur le terrain).

L'appariement d'un modèle à la réalité consiste à comparer une configuration théorique (prédite) avec une configuration empirique (observée) pour juger de la conformité entre le modèle et la réalité empirique. Si les observations se rapportent à un univers empirique qui correspond à la complexité du modèle, les conclusions de la recherche devraient présenter une bonne validité interne. De la même façon, si l'on peut formuler des propositions théoriques sur l'évolution temporelle d'un phénomène et que ces propositions sont confirmées par l'observation empirique, alors la validité interne sera renforcée (cet appariement chronologique entre la théorie et l'observation s'appuiera sur des séries chronologiques).

La construction d'une explication consiste à dégager les conséquences théoriques des observations et des événements contenus à l'intérieur d'un cas ou d'une situation. Par exemple, on peut vouloir expliquer l'échec d'un programme d'intervention en santé communautaire par le manque d'information donnée sur ce dernier. Cette explication peut sembler insuffisante et une documentation plus serrée des événements entourant le déroulement du programme, jumelée à une connaissance de différentes théories pouvant expliquer la mise en oeuvre des interventions, peut mener à des conclusions valides sur les facteurs ayant limité le succès du projet. Il s'agit ici d'un processus itératif complexe et difficile entre la base empirique et un ensemble de pistes théoriques.

2.2   Validité externe

Pour connaître la capacité d'une stratégie de recherche à fournir des résultats généralisables à d'autres populations, à d'autres contextes, à d'autres périodes, il faut se demander dans quelle mesure les résultats obtenus sont influencés par le contexte particulier dans lequel la recherche a été menée. Plus la théorie sur laquelle la recherche est fondée est solide et plus les résultats empiriques obtenus dans un contexte particulier sont cohérents avec les hypothèses théoriques, plus ces résultats sont généralisables à d'autres contextes.

D'une façon générale, la validité externe d'une recherche s'appuie sur trois principes:

- le principe de similitude;
- le principe de robustesse;
- le principe d'explication (Mark, 1986).

Le *principe de similitude* se rapporte à la capacité de généraliser des résultats à un univers empirique similaire. C'est, entre autres, pour satisfaire à ce critère qu'il est important que la population à l'étude, dans une recherche, soit représentative de la population par rapport à laquelle on veut généraliser les résultats.

Le *principe de robustesse* stipule que le potentiel de généralisation d'une étude s'accroît, s'il y a réplique des effets dans des contextes diversifiés. C'est pour favoriser l'appréciation de la robustesse d'un effet qu'il faut, dans le devis, tenter d'éliminer ou de mesurer explicitement les effets d'interaction entre la situation expérimentale et les effets observés d'une intervention.

Le *principe de l'explication,* développé longuement par Cronbach (1982), souligne les gains de validité externe résultant d'une compréhension des facteurs de production et d'inhibition des effets. L'augmentation de la capacité de généralisation par le principe d'explication s'accomplit au moyen de la réalisation de recherche sur les processus qui permettent d'expliquer les effets d'une intervention (Mark, 1986, 1987). Mieux on comprend comment, par quels mécanismes, les résultats ont été obtenus et quel a été le rôle de différents facteurs dans leur obtention, plus il sera facile de généraliser les résultats par rapport à d'autres populations, à d'autres contextes et à d'autres périodes.

Pour terminer, il faut bien comprendre que l'examen de la validité externe d'un devis repose sur la présomption que sa validité interne est bonne. Il est en effet inapproprié de vouloir généraliser des résultats incertains.

TABLEAU 4.2

BIAIS POUVANT INFLUENCER LA VALIDITÉ
D'UNE RECHERCHE EXPÉRIMENTALE

(A) VALIDITÉ INTERNE

▶ **BIAIS ASSOCIÉS À UN CONTRÔLE IMPARFAIT DE FACTEURS LIÉS AU TEMPS**

1. *Histoire :* Biais occasionné par l'apparition d'un événement qui influence la variable dépendante durant le déroulement de l'étude.

2. *Maturation :* Biais occasionné par le vieillissement, la fatigue, l'expérience acquise par les sujets entre le prétest et le post-test.

3. *Accoutumance au test :* Biais qui se produit quand les sujets apprennent à mieux (ou à moins bien répondre) à un questionnaire qui leur est soumis plusieurs fois durant l'étude.

4. *Mortalité expérimentale :* Biais occasionné par des taux d'abandon différents dans le groupe expérimental et le groupe-témoin.

▶ **BIAIS ASSOCIÉS À LA SÉLECTION D'UN GROUPE-TÉMOIN**

5. *Régression vers la moyenne :* Biais qui apparaît quand on choisit une population expérimentale ou témoin à partir des résultats obtenus lors du prétest. Ceux qui ont eu les meilleurs résultats au prétest ont, par le simple fait du hasard, des chances de voir leur performance diminuer (se rapprocher de la moyenne) au post-test et inversement.

6. *Sélection :* Biais occasionné par les différences qui peuvent exister entre le groupe expérimental et un groupe-témoin non équivalent.

7. *Interactions* Biais qui survient lorsque des interactions se produisent entre la sélection et les autres biais, surtout en ce qui concerne l'histoire, la maturation et la mesure des effets.

▶ **BIAIS ASSOCIÉS À LA MESURE DES EFFETS**

8. *Mesure des effets :* Biais lié à des changements dans les instruments de mesure durant le déroulement de la recherche ou à l'accoutumance des observateurs aux instruments de mesure, c'est-à-dire à un changement dans la façon dont les instruments de mesure sont utilisés entre le début et la fin de l'étude.

Tableau 4.2 *(suite)*

B | VALIDITÉ EXTERNE |

▶ | **BIAIS ASSOCIÉS À LA RÉACTIVITÉ DES SUJETS À LA SITUATION EXPÉRIMENTALE** |

9. *Contagion :* Biais lié au manque d'indépendance entre le groupe-témoin et le groupe expérimental.

10. *Réactions compen-satoires :* Biais lié aux changements de comportements de la population du groupe-témoin à la suite de l'assurance qu'ils ne recevront pas le traitement. Les réactions compensatoires peuvent être positives (faire aussi bien ou mieux que le groupe expérimental) ou négatives (démoralisation).

11. *Désir de plaire à l'éva-luateur :* Biais occasionné par le désir des sujets étudiés de paraître en bonne santé, d'avoir un comportement sain, d'être bien évalués.

▶ | **BIAIS ASSOCIÉS À UN CONTRÔLE IMPARFAIT DE L'INTERVENTION** |

12. *Relation causale ambiguë :* Biais qui peut exister quand le modèle théorique de la recherche est insuffisant et qu'une troisième variable peut changer le sens de la relation causale étudiée.

13. *Interventions compensatoires :* Biais occasionné par les intervenants qui peuvent essayer de compenser l'absence de traitement du groupe-témoin par une attention plus grande ou quand, par souci d'équité administrative, le groupe-témoin reçoit différentes formes de compensation.

14. *Attente de l'expérimentateur :* Biais occasionné par les attentes de l'expérimentateur qui espère tel ou tel type de résultat. Dans ce cas, on ne sait pas ce qui est dû à l'intervention elle-même ou aux attentes de l'expérimentateur.

15. *Interaction entre l'intervention et la situation expérimentale :* Biais se produisant dans la situation suivante: souvent, l'intervention analysée constitue un ensemble relativement complexe qui peut, dans le cadre d'une recherche expérimentale, posséder des caractéristiques particulières (enthousiasme du promoteur d'une expérience pilote, milieu favorable à l'intervention, moment particulièrement peu propice à une façon nouvelle de faire...). Quand tel est le cas, il peut être difficile de séparer les effets de l'intervention proprement dite de ceux créés par les particularités de la situation expérimentale.

Tableau 4.2 (*suite*)

16. ***Interaction entre les différentes composantes d'une intervention :***

Biais associé à la difficulté de séparer les effets composantes d'une intervention. C'est pour corriger cette situation que l'on introduit des placebos dans des recherches expérimentales. Cela permet, par exemple, de séparer l'effet d'un médicament proprement dit de l'effet associé au sentiment de se sentir soigné (effet placebo).

17. ***Interaction entre les observations et l'intervention :***

Biais se produisant lorsque, dans une situation expérimentale, l'on fait passer un questionnaire avant l'intervention, ce qui peut interagir avec l'intervention elle-même pour en multiplier ou en diminuer les effets, les sujets à l'étude devenant alors sensibilisés au contenu de l'intervention.

BIAIS ASSOCIÉS À LA SÉLECTION DES SUJETS

18. ***Interaction entre la sélection des sujets et l'intervention :***

Biais occasionné par le caractère non représentatif des sujets sur lesquels porte l'étude. Ce biais se manifeste en particulier quand une recherche est faite sur des sujets volontaires. Il est alors difficile de savoir ce qui est dû au volontariat et ce qui est dû à l'intervention proprement dite.

TABLEAU 4.3

DEVIS DE LA RECHERCHE EXPÉRIMENTALE : EXPÉRIMENTATION PROVOQUÉE

Devis expérimentaux	Biais pouvant influencer la validité interne	Biais pouvant influencer la validité externe

(*voir Tableau 4.2*)

▶ *Prétest, post-test avec groupe-témoin aléatoire*

```
     ┌→ 01  X 02
  R  │
     └→ 01    02
```

	4. Mortalité expérimentale	9. Contagion
		10. Réactions compensatoires
		11. Désir de plaire à l'évaluateur
		13. Interventions compensatoires
		14. Attente de l'expérimentateur
		15. Interaction entre l'intervention et la situation expérimentale
		16. Interaction entre les différentes composantes d'une intervention
		17. Interaction entre les observations et l'intervention
		18. Interaction entre la sélection des sujets et l'intervention

▶ *Devis de Solomon avec quatre groupes*

```
     ┌→ 01  X 02
  R  ├→ 01    02
     ├→     X 02
     └→       02
```

	4. Mortalité expérimentale	9. Contagion
		10. Réactions compensatoires
		11. Désir de plaire à l'évaluateur
		13. Interventions compensatoires
		14. Attente de l'expérimentateur
		15. Interaction entre l'intervention et la situation expérimentale
		16. Interaction entre les différentes composantes d'une intervention
		18. Interaction entre la sélection des sujets et l'intervention

▶ *Post-test seulement avec groupe-témoin aléatoire*

```
     ┌→   X 02
  R  │
     └→     02
```

	4. Mortalité expérimentale	9. Contagion
		10. Réactions compensatoires
		11. Désir de plaire à l'évaluateur
		13. Interventions compensatoires
		14. Attente de l'expérimentateur
		15. Interaction entre l'intervention et la situation expérimentale
		16. Interaction entre les différentes composantes d'une intervention
		18. Interaction entre la sélection des sujets et l'intervention

Tableau 4.3 *(suite)*

Devis quasi expérimentaux

▶ *Série chronologique*

01 02 03 X 04 05 06	1. Histoire 8. Mesure des effets	11. Désir de plaire à l'évaluateur 14. Attente de l'expérimentateur 15. Interaction entre l'intervention et la situation expérimentale 16. Interaction entre les différentes composantes d'une intervention 17. Interaction entre les observations et l'intervention 18. Interaction entre la sélection des sujets et l'intervention

▶ *Série chronologique avec expérimentation répétée*

Xa 01 Xb 02 Xa 04 Xb 05	Aucun	11. Désir de plaire à l'évaluateur 14. Attente de l'expérimentateur 15. Interaction entre l'intervention et la situation expérimentale 16. Interaction entre les différentes composantes d'une intervention 17. Interaction entre les observations et l'intervention 18. Interaction entre la sélection des sujets et l'intervention

▶ *série chronologique avec groupe-témoin non équivalent*

01 02 03 X 04 05 06 ------------------------------------ 01 02 03 04 05 06	Aucun	9. Contagion 11. Désir de plaire à l'évaluateur 14. Attente de l'expérimentateur 15. Interaction entre l'intervention et la situation expérimentale 16. Interaction entre les différentes composantes d'une intervention 17. Interaction entre les observations et l'intervention 18. Interaction entre la sélection des sujets et l'intervention

Tableau 4.3 *(suite)*

▶ *Prétest, post-test avec groupe-témoin non équivalent*

$$01 \quad X \quad 02$$

$$01 \quad\quad 02$$

6. Sélection
7. Interactions

9. Contagion
10. Réactions compensatoires
11. Désir de plaire à l'évaluateur
13. Interventions compensatoires
14. Attente de l'expérimentateur
15. Interaction entre l'intervention et la situation expérimentale
16. Interaction entre les différentes composantes d'une intervention
17. Interaction entre les observations et l'intervention
18. Interaction entre la sélection des sujets et l'intervention

▶ *Expérimentation contrebalancée ou carré latin*

Groupe 1 Xa 01 Xb 02 Xc 03 Xd 04
Groupe 2 Xb 01 Xd 02 Xa 03 Xc 04
Groupe 3 Xc 01 Xa 02 Xd 03 Xb 04
Groupe 4 Xd 01 Xc 02 Xb 03 Xa 04

7. Interactions

9. Contagion
10. Réactions compensatoires
11. Désir de plaire à l'évaluateur
13. Interventions compensatoires
14. Attente de l'expérimentateur
15. Interaction entre l'intervention et la situation expérimentale
16. Interaction entre les différentes composantes d'une intervention
17. Interaction entre les observations et l'intervention
18. Interaction entre la sélection des sujets et l'intervention

▶ *cycle institutionnel avec analyse transversale − longitudinale*

Groupe 1 X 02   03   04
Groupe 2   02 X 03   04
Groupe 3   03   04

La validité du devis pour chaque groupe est faible; la validité globale du devis résulte de la cohérence des résultats obtenus pour les différents groupes

11. Désir de plaire à l'évaluateur
14. Attente de l'expérimentateur
15. Interaction entre l'intervention et la situation expérimentale
16. Interaction entre les différentes composantes d'une intervention
18. Interaction entre la sélection des sujets et l'intervention

▶ *Régression discontinue*

Les sujets sont répartis entre les deux groupes selon une règle connue mais non aléatoire

3. Accoutumance au tes
4. Mortalité expérimentale

15. Interaction entre l'intervention et la situation expérimentale
16. Interaction entre les différentes composantes d'une intervention
18. Interaction entre la sélection des sujets et l'intervention

---

Signification des symboles

R : «randomisation» des sujets à l'étude entre des groupes témoins et expérimentaux
Xa : intervention, c.-à-d. variable indépendante, (a) indique la modalité de l'intervention
OI : observation de la ou des variables dépendantes à la période (i)
---------- : le groupe-témoin n'est pas créé par «randomisation»

TABLEAU 4.4

DEVIS DE LA RECHERCHE EXPÉRIMENTALE : EXPÉRIMENTATION INVOQUÉE

Études comparatives ultérieures	Biais pouvant influencer la validité interne	Biais pouvant influencer la validité externe

(Voir Tableau 4.2)

▶ *Post-test seulement*

Études comparatives ultérieures	Biais pouvant influencer la validité interne	Biais pouvant influencer la validité externe
X 02	1. Histoire 2. Maturation 3. Accoutumance au test 4. Mortalité expérimentale 6. Sélection	14. Attente de l'expérimentateur 15. Interaction entre l'intervention et la situation expérimentale 16. Interaction entre les différentes composantes d'une intervention 18. Interaction entre la sélection des sujets et l'intervention

▶ *Post-test seulement avec groupe-témoin non équivalent*

X 02 ------------------ 02	2. Maturation 4. Mortalité expérimentale 6. Sélection 7. Interactions	14. Attente de l'expérimentateur 15. Interaction entre l'intervention et la situation expérimentale 16. Interaction entre les différentes composantes d'une intervention 18. Interaction entre la sélection des sujets et l'intervention

▶ *Étude avant – après*

01 X 02	1. Histoire 2. Maturation 3. Accoutumance au test 7. Interactions 8. Mesure des effets	14. Attente de l'expérimentateur 15. Interaction entre l'intervention et la situation expérimentale 16. Interaction entre les différentes composantes d'une intervention 17. Interaction entre les observations et l'intervention 18. Interaction entre la sélection des sujets et l'intervention

▶ *Prétest, post-test avec groupe-témoin non équivalent*

01 X 02 ------------------ 01 02	5. Régression vers la moyenne 7. Interactions	11. Désir de plaire à l'évaluateur 14. Attente de l'expérimentateur 15. Interaction entre l'intervention et la situation expérimentale 16. Interaction entre les différentes composantes d'une intervention 18. Interaction entre la sélection des sujets et l'intervention

Tableau 4.4 *(suite)*

Études sérielles

- Tendance (évolution d'une population ou d'un phénomène dans le temps)

- Cohorte (suivi dans le temps d'une population ayant les mêmes caractéristiques)

- Échantillon expérimental (même individu que l'on suit dans le temps)

• Séries chronologiques 01 02 03 04 X 05 06 07 08	1. Histoire 8. Mesure des effets	11. Désir de plaire à l'évaluateur 15. Interaction entre l'intervention et la situation expérimentale 16. Interaction entre les différentes composantes d'une intervention
• Séries chronologiques multiples	Très forte validité interne	11. Désir de plaire à l'évaluateur 15. Interaction entre l'intervention et la situation expérimentale 16. Interaction entre les différentes composantes d'une intervention 18. Interaction entre la sélection des sujets et l'intervention
• Études cas–témoins	Validité dépendante du processus de sélection des cas et des témoins	12. Relation causale ambiguë 16. Interaction entre les différentes composantes d'une intervention

Études corrélationnelles

Investigation statistique des relations entre une variable dépendante et plusieurs variables indépendantes de façon à isoler l'influence de celle qui fait l'objet de de l'hypothèse de recherche	Validité assurée par la conformité entre le modèle théorique et les approches statistiques retenues	12. Relation causale ambiguë 15. Interaction entre l'intervention et la situation expérimentale 16. Interaction entre les différentes composantes d'une intervention

Tableau 4.4 *(suite)*

Méta-analyse

Application de procédures statistiques pour recueillir des données provenant de différentes études en vue d'intégrer, de synthétiser et d'en interpréter les résultats

Validité assurée par une sélection adéquate des études, une pondération appropriée de leurs résultats, un examen critique des caractéristiques des différentes études pour bien interpréter les résultats et une attention suffisante à la présence de variables intermédiaires pouvant expliquer les relations observées.

Très forte validité externe

Signification des symboles

R	:	«randomisation» des sujets à l'étude entre des groupes témoins et expérimentaux
Xa	:	intervention, c.-à-d. variable indépendante, (a) indique la modalité de l'intervention
OI	:	observation de la ou des variables dépendantes à la période (i)
---------	:	le groupe-témoin n'est pas créé par «randomisation»

CHAPITRE 3

PLANIFICATION OPÉRATIONNELLE DE LA RECHERCHE

La planification opérationnelle de la recherche consiste à prévoir les opérations qui devront être effectuées pour mettre en oeuvre la stratégie de recherche choisie. Ces opérations portent sur la sélection de la population à l'étude, la définition des variables et la collecte des données, ainsi que sur l'analyse des données recueillies.

Section 5 - POPULATION À L'ÉTUDE

But :	Décrire de la façon la plus opérationnelle possible quelle est la population à l'étude
Contenu:	- Définition des sujets qui constituent la population cible - Sélection des sujets de l'étude, c'est-à-dire constitution d'un échantillon
Longueur :	1 à 2 pages

a) Population cible

Toute question de recherche définit un univers d'objets auxquels les résultats de l'étude devront être applicables. Cet univers peut être plus ou moins restreint ou plus ou moins bien défini par la question posée. Si, par exemple, la question à l'étude consiste, à la suite de l'accident écologique survenu à Saint-Basile-le-Grand, à déterminer les effets de l'évacuation sur la santé mentale des enfants d'âge scolaire, l'univers des objets qui seront étudiés est clair: il s'agit d'êtres humains entre 5 et 16 ans qui ont été évacués de leur domicile dans des circonstances bien définies. Dans ce cas, la formulation de la question de recherche permet de définir les objets qui seront étudiés. D'un autre côté, la question de recherche peut ne pas définir précisément l'univers des objets sur lequel elle porte. Ainsi, si la question consiste à se demander si l'usage du tabac est un facteur de risque du cancer du poumon, il faudra définir l'univers des objets au sujet desquels la recherche est envisagée.

Dans cette section du protocole, la première opération à effectuer consiste à préciser le mieux possible l'univers restreint des objets sur lequel porte la recherche, c'est-à-dire la population cible.

La population cible, aussi appelée population à l'étude, est composée d'éléments distincts possédant un certain nombre de caractéristiques communes. Ces éléments sont les unités d'analyse sur lesquelles seront recueillies des informations. L'unité d'analyse peut être constituée par agrégats de tailles différentes. Par exemple, dans une étude portant sur les effets de certains programmes scolaires, les unités d'analyse peuvent être des groupes d'individus. La moyenne de l'ensemble des élèves d'une classe soumise au programme peut être comparée avec la moyenne de l'ensemble des élèves d'une autre classe non soumise au programme. Dans ce cas-ci, l'unité d'analyse est la classe et non les élèves. Selon les recherches, les unités d'analyse pourraient aussi être constituées par des familles, des industries, des pays, des faits sociaux, ou encore faire partie d'un objet plus complexe comme des organes ou des parties du corps. Ainsi, dans une étude où l'on évalue la tomographie axiale comme moyen de détection des métastases surrénales, l'unité d'analyse est la glande surrénale et 50 êtres humains constituent 100 sujets d'étude. Dans le protocole, il faut définir de façon explicite la population cible. Idéalement, il faudrait que l'unité d'analyse soit explicite dans la formulation des hypothèses ou des questions de recherche.

Deux séries de critères servent à définir les éléments qui constituent la population cible: les critères d'inclusion et les critères d'exclusion. La conjugaison de ces deux séries de critères devrait être telle que tout élément pourrait être classé sans équivoque comme faisant ou non partie de la population cible. L'objectivité et la rigueur de ces critères sont évidemment nécessaires pour satisfaire cette dernière condition. Par exemple, dans une étude portant sur l'évaluation de deux modes de traitement de l'insuffisance cardiaque, les critères d'inclusion devraient comporter un certain nombre de normes cliniques, biochimiques et physiologiques au-delà desquelles un individu est considéré comme souffrant d'insuffisance cardiaque et donc faisant partie de la population cible. Il faudrait aussi définir des critères d'exclusion pour éliminer, par exemple, les personnes ayant d'autres problèmes de santé (diabète, tumeurs, etc.).

La définition de la population cible a une influence directe sur la généralisation des résultats. Le chercheur doit essayer de concilier deux exigences souvent opposées. D'une part, plus la population cible est homogène, c'est-à-dire plus les critères d'exclusion sont nombreux et plus les critères d'inclusion sont rigides, plus il sera facile d'éliminer des effets d'interaction entre les variables à l'étude et d'autres facteurs. D'autre part, plus la population cible est restreinte par rapport à l'univers des objets possibles, moins les résultats obtenus sont généralisables. Si, dans l'exemple de l'insuffisance cardiaque, on ne considère pas la gravité de la maladie parmi les critères d'inclusion et qu'elle interagit avec les traitements, on pourrait ne pas observer l'effet d'interaction illustré sur la figure 5.1. En effet, si le traitement 1 est plus efficace pour les patients atteints le moins sérieusement, alors que le traitement 2 est plus efficace pour les patients gravement atteints, et que la population cible comprend ces deux types de patients sans qu'aucune distinction ne puisse être faite entre eux, alors l'effet d'interaction ne peut être observé.

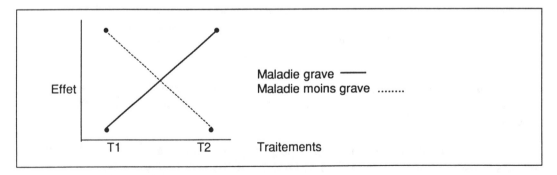

Figure 5.1 : Interaction entre les effets de deux traitements

Dans le cas où la proportion de patients gravement atteints est de 50 %, la comparaison des effets des traitements 1 et 2 donnerait des résultats similaires à ceux illustrés à la figure 5.2. Toutefois, la restriction de la population cible à ceux ayant une maladie grave limite grandement la généralisation des résultats de l'étude.

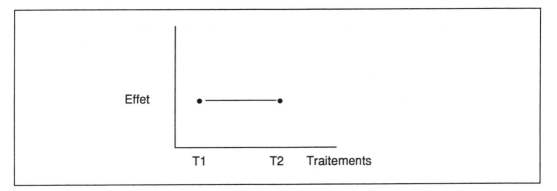

Figure 5.2 : Absence d'interaction entre les effets de deux traitements

D'une façon générale, les critères d'exclusion et d'inclusion devraient être suffisamment précis pour permettre une décision univoque concernant l'appartenance ou non d'un élément à la population cible. Théoriquement, la population cible devrait être définie avec une précision telle qu'il soit possible d'établir la liste de tous les éléments la constituant.

La constitution d'une telle liste représente un travail considérable, et c'est pourquoi les chercheurs utilisent généralement des listes déjà existantes. Parmi les plus utilisées, on compte les annuaires téléphoniques, les listes électorales, les listes de détenteurs d'un permis de conduire, etc. Cependant, l'utilisation de telles listes est rarement exempte de problèmes, le principal étant que les populations définies par la liste correspondent rarement de manière parfaite aux populations cibles. Par exemple, l'utilisation de l'annuaire téléphonique entraîne l'élimination des ménages qui n'ont pas le téléphone, et de ceux qui l'ont mais ne sont pas inscrits dans l'annuaire. Quand on utilise de telles listes, il est donc très important d'en examiner les particularités et les limites.

b) Échantillon

La population cible est souvent trop grande pour servir intégralement à vérifier les hypothèses de recherche. Il faut alors choisir un échantillon.

L'échantillon est un sous-ensemble d'individus de la population cible. En fait, un échantillon peut être n'importe quel sous-ensemble d'éléments sur lesquels l'étude portera. Étant donné que les hypothèses de recherche concernent la population cible, il est important de savoir dans quelle mesure les observations effectuées sur un échantillon peuvent être généralisées à la population cible. Pour que cette généralisation soit valide, il faut que les caractéristiques de l'échantillon soient les mêmes que celles de la population cible.

Le fait de ne pas étudier toute la population cible, mais seulement un échantillon, entraîne certaines erreurs. Quand on connaît tous les paramètres de la population cible et de l'échantillon, il est possible de calculer l'erreur «échantillonnale». Quand cela est possible, il faut l'indiquer dans le protocole. Mais la plupart du temps, les paramètres de la population cible ne sont pas connus et il n'est donc pas possible de calculer l'erreur échantillonnale. Il faut, dans ces cas-là, discuter de la taille possible de cette erreur en sachant qu'elle dépend de deux facteurs: de la fraction échantillonnale et de l'homogénéité de la population cible. Plus la fraction échantillonnale est grande, plus l'erreur échantillonnale est faible. Intuitivement, il est facile de concevoir que plus la taille de l'échantillon est importante par rapport à la taille de la population cible, plus la représentativité de l'échantillon est assurée. Inversement, plus la population cible est homogène, moins il est nécessaire d'avoir un grand échantillon. À la limite, si tous les éléments de la population cible étaient parfaitement identiques, un échantillon comprenant un seul élément, n'importe lequel, serait parfaitement représentatif.

Il existe deux types d'échantillons: les échantillons probabilistes et les échantillons non probabilistes. Les premiers sont basés sur les lois du hasard, alors que les autres tentent de reproduire le plus fidèlement possible la population cible, en tenant compte des caractéristiques connues de cette dernière. Cependant, seuls les échantillons probabilistes peuvent, par définition, donner lieu à une généralisation statistique s'appuyant sur les principes du calcul des probabilités et permettre l'utilisation de l'outil très puissant qu'est l'inférence statistique.

Il faut, dans le protocole d'une recherche où l'on utilise un ou des échantillons de la population, indiquer comment les échantillons seront choisis, justifier ce choix et préciser la taille des échantillons.

1. *Échantillons probabilistes*

La caractéristique essentielle des techniques probabilistes est la suivante: chacun des éléments de la population cible a une probabilité connue et différente de zéro d'être choisi lors d'un tirage au hasard. Cette probabilité est appelée fraction échantillonnale. C'est cette caractéristique qui permet l'utilisation des techniques statistiques d'inférence pour généraliser à la population cible les résultats observés dans l'échantillon.

Toutes les techniques probabilistes impliquent une notion de tirage au hasard. Un outil important pour réaliser ce tirage est la table de nombres aléatoires qui figure généralement dans les livres de statistique. Les plus importants logiciels statistiques, tels que SAS, BMDP et SPSS, peuvent aussi générer ce qu'il est convenu d'appeler des nombres pseudo-aléatoires, qui remplissent les mêmes fonctions. Une table de nombres aléatoires typique est fournie sur le tableau 5.1. Les nombres sont regroupés par blocs de cinq. Pour utiliser ce genre de table, il faut:

- numéroter chaque élément de la population cible de façon séquentielle en commençant par 1;

- déterminer le nombre de chiffres nécessaires. Par exemple, si la population cible contient 6 584 individus, alors des combinaisons de quatre chiffres seront nécessaires pour rendre compte de tous les individus formant la population cible;

- choisir une méthode pour créer des nombres à 4 chiffres à partir de rangées de 5 chiffres. On peut choisir d'utiliser les quatre premiers ou les quatre derniers, mais il faut conserver la même méthode tout au long du processus de sélection;

TABLEAU 5.1

TABLE DE NOMBRES ALÉATOIRES

43173	61856	00091	07081	57805
98471	02197	95852	34020	38463
55841	56464	43184	26452	39399
96151	30042	56499	28754	88869
40881	75179	32162	08065	60316
74071	05147	28115	87683	23595
05283	66368	54736	78061	83370
99494	79716	37472	44719	49736
70420	33839	71809	08104	94610
91168	51254	06666	91519	46988
65365	10581	58881	89856	10989
54942	80075	23995	85696	45337
92856	21639	26293	99386	51123
53026	37298	75567	79699	77685
60664	08063	47471	18069	35052
26667	66219	16639	28294	97465
73676	07512	93841	25003	86148
07204	56110	24061	80710	95486
50034	42440	29024	06852	93067
28029	81308	08054	04705	66700
42603	42857	05632	42397	28876
90564	53448	33000	55074	85344
04987	84404	27502	02230	34884
18271	77542	89049	44987	29312
76253	32411	81925	47541	98167
74223	20040	37099	53760	81423
18450	00945	49376	15451	45691
72138	42516	65378	06160	87780
79559	74986	01618	26968	04641
68088	62322	57427	32778	25478
64977	94186	16901	74843	84134
34936	73487	36075	37894	45610
26330	77046	85815	39658	32326
12024	30598	30397	13328	05458
10414	99275	29287	72442	99099
30008	79730	54314	48915	13139
70475	76077	46138	73035	17847
67483	53529	94585	71349	90307
58847	87443	44756	84856	89437
72999	92114	97888	67780	04858
56706	69490	80858	39512	74364
97576	36850	80684	41808	67315
63710	97143	28320	55338	18727
28760	00171	77606	18425	58057
72286	34582	48876	52768	68251
90494	11047	70504	46927	09631
00143	97579	51194	87782	52594
62623	33497	80117	21060	61233
51451	02443	77822	21186	76063
74544	41648	88813	24286	80186

- choisir un point de départ quelconque dans la table;

- choisir une méthode de progression. Encore une fois, toute méthode est bonne à condition qu'elle soit maintenue durant tout le processus de sélection.

Il suffit d'effectuer le nombre nécessaire d'opérations pour obtenir le nombre de chiffres correspondant à la taille requise pour l'échantillon. Il peut arriver que le chiffre sélectionné soit hors des limites déterminées par la taille de la population cible. Dans ce cas-là, il ne faut pas en tenir compte.

1.1 Échantillon aléatoire simple

Selon cette technique, chacun des individus composant la population cible a une probabilité égale d'être sélectionné. Il s'agit essentiellement d'un tirage au sort dans lequel les numéros peuvent être tirés plusieurs fois, de façon que la taille de la population demeure constante tout au long du processus de sélection. L'utilisation d'une table de nombres aléatoires remplace l'urne contenant les noms et les numéros des éléments de la population cible que l'on utilise, lors d'un tirage manuel.

1.2 Échantillon systématique

Cette procédure est plus souple et plus simple à mettre en place que l'échantillonnage aléatoire simple. Il s'agit, à partir d'un intervalle fixe qui correspond à la fraction échantillonnale, de sélectionner des individus sur la liste. Seul le premier individu est tiré au hasard à l'aide d'une table de nombres aléatoires. Cette méthode d'échantillonnage n'est probabiliste que dans la mesure où les unités ne sont pas ordonnées sur la liste, c'est-à-dire que l'ordre des éléments y est l'effet du hasard. Ceci est particulièrement problématique si l'ordre des éléments obéit à un certain cycle et que ce cycle correspond à la fraction échantillonnale.

1.3 Échantillonnage en grappes

Lorsqu'il est impossible d'établir la liste complète des éléments de la population cible, on ne peut utiliser les techniques d'échantillonnage aléatoire simple ou d'échantillonnage systématique. Ce serait le cas, par exemple, d'une étude qui porterait sur les patients qui utilisent les services médicaux des CLSC, dans la mesure où il n'existe pas de liste qui identifie l'ensemble de ces patients dans tous les CLSC du Québec. Cependant, même si une telle liste globale n'existe pas, les éléments de la population cible peuvent être regroupés par grappes et des listes peuvent être disponibles ou facilement constituées dans chaque grappe. Dans l'exemple ci-dessus, une telle liste pourrait être créée par l'examen des dossiers conservés dans chaque CLSC. L'échantillonnage en grappes consiste donc à sélectionner aléatoirement des unités de regroupement et à sélectionner ensuite, toujours aléatoirement, des sous-unités. Pour en revenir à l' exemple des CLSC, le chercheur qui voudrait établir un échantillon des clients de ces centres devrait tout d'abord établir la liste des CLSC et en sélectionner aléatoirement un certain nombre. Il devrait ensuite établir la liste des clients dans chacun des CLSC sélectionnés. Enfin, une sélection aléatoire effectuée indépendamment à l'intérieur de chacune de ces listes produirait l'échantillon final.

L'échantillonnage en grappes est une succession de deux étapes de base: dresser la liste et échantillonner. Lorsque le processus requiert plusieurs répétitions de ces étapes, on parle alors d'échantillonnage multiphase. Dans l'exemple précédent, on pourrait imaginer que dans chaque CLSC, les dossiers sont regroupés par familles. Il faudrait alors faire une sélection aléatoire de familles dans chaque CLSC, et ensuite une sélection aléatoire des individus dans chaque famille sélectionnée.

Cette technique d'échantillonnage est facile à mettre en œuvre, mais elle est moins précise. En effet, à chaque phase de l'échantillonnage est associée une erreur échantillonnale. La multiplication des phases avant l'obtention d'un échantillon final entraîne une multiplication des erreurs échantillonnales.

1.4 Échantillonnage stratifié

La technique la plus raffinée est l'échantillonnage stratifié. Elle consiste essentiellement à diviser la population cible en sous-ensembles appelés strates et à tirer aléatoirement un sous-échantillon dans chacune des strates. La stratification se justifie autant pour des raisons pratiques que pour des raisons théoriques. On stratifie souvent pour assurer une représentation adéquate de chaque sous-population dans l'échantillon final. Les groupes faiblement représentés dans la population cible peuvent être suréchantillonnés, pour permettre des études plus centrées sur ces sous-groupes. D'un point de vue pratique, l'établissement de strates homogènes, à l'intérieur desquelles les éléments sont sélectionnés, diminue l'erreur échantillonnale. Cela a pour effet de réduire la taille de l'échantillon et, par conséquent, les coûts de l'étude. Par exemple, pour étudier les risques d'accidents de voiture, un chercheur aurait tout intérêt à stratifier son échantillon en fonction du sexe. Les risques d'accident sont en effet beaucoup moins grands pour les femmes que pour les hommes.

1.5 Conclusion

Il n'y a pas de méthode unique et universellement bonne pour choisir un échantillon. Dans un projet précis, le choix dépend de la question de recherche, de l'existence de listes, du budget, etc. Il est cependant important de retenir qu'à chaque plan échantillonnal sont associés des avantages et des inconvénients et que, par ailleurs, les techniques probabilistes sont les seules qui permettent l'estimation des paramètres d'une population à partir d'observations effectuées sur un échantillon.

2. Échantillons non probabilistes

Le but des techniques d'échantillonnage est de constituer un sous-ensemble de la population cible qui reproduise le plus possible les caractéristiques de cette dernière. Les méthodes probabilistes s'en remettent au hasard pour garantir cette condition, alors que les méthodes non probabilistes utilisent le raisonnement pour, littéralement, bâtir l'échantillon.

2.1 Échantillons accidentels

Cette technique consiste à sélectionner les éléments de l'échantillon en fonction de leur présence à un endroit déterminé, à un moment précis, par exemple, les 100 premières personnes qui passent à tel coin de rue, ou encore les bénéficiaires d'un hôpital. Même si, à première vue, cette technique paraît très proche des échantillons probabilistes, étant donné que les personnes sont choisies «au hasard», de tels échantillons sont très rarement représentatifs de la population cible. En effet, seules les personnes ayant la possibilité de se trouver à l'endroit prédéterminé au moment choisi ont une probabilité non nulle d'être sélectionnées, ce qui constitue un biais important. Le principal problème associé à cette technique est l'impossibilité d'évaluer l'ampleur et la direction de ce biais.

2.2 *Échantillons de volontaires*

Ce type d'échantillon est très souvent utilisé dans les domaines de recherche où l'expérimentation est potentiellement douloureuse, gênante ou même carrément dange-reuse. C'est la technique qu'ont choisi, par exemple, les auteurs du rapport Hite sur la sexualité des Américaines. Ils ont fait publier un questionnaire dans une revue et ceux qui voulaient y répondre le renvoyaient aux enquêteurs. Cette technique entraîne des difficultés bien évidentes, la plus importante étant liée à la représentativité de l'échantillon, comme dans l'exemple ci-dessus. En effet, les personnes qui ont décidé de répondre à un tel questionnaire étaient peut-être plus libérales, moins déviantes ou présentaient plus (ou moins) de problèmes que les personnes qui ne l'ont pas fait.

L'utilisation d'une telle technique peut se justifier dans des phases exploratoires, dans des études où la généralisation à une population n'est pas un aspect primordial ou encore lorsqu'il s'agit d'étudier des processus tellement fondamentaux qu'ils sont présents de la même façon chez tous les individus. Dans les recherches en psychologie, on a souvent eu recours en Amérique du Nord aux échantillons de volontaires. Ainsi, c'est en partie grâce à la participation de milliers d'étudiants du premier cycle que cette discipline a pu avancer.

2.3 *Échantillons par choix raisonnés*

Lorsque l'objectif de recherche n'est pas d'étudier les variations à l'intérieur de la population, mais plutôt quelques particularités de celle-ci, la recherche de la représen-tativité est d'un intérêt très limité. Ce type d'échantillon, qui se présente sous différentes formes, vise à augmenter l'utilité de l'information, tout en restreignant le nombre d'éléments sélectionnés. La sélection des cas extrêmes ou déviants permet de mettre en lumière des phénomènes inusités qui peuvent apporter des idées nouvelles pour résoudre un problème. Dans ce cas, le choix d'un échantillon peut résulter du jugement d'experts ou être un choix délibéré du chercheur.

- Jugement d'expert
  La sélection d'éléments typiques repose sur les connaissances d'experts. Elle vise à reproduire la section la plus homogène de la population cible. Il s'agit alors de déterminer les caractéristiques les plus communes dans la population et de sélec-tionner des éléments qui y correspondent. La sélection des cas critiques maximise l'applicabilité des résultats. Pour tester de nouveaux médicaments, cette tech-nique est souvent utilisée en recherche médicale sur des personnes qui n'ont plus rien à perdre.

- Jugement par choix délibéré
  L'échantillonnage par boule de neige consiste à ajouter à un noyau d'individus tous ceux qui sont en relation avec eux. Cette technique est particulièrement utile pour étudier des systèmes de relations, ou lorsqu'il s'agit d'étudier des populations dif-ficilement repérables.

2.4 *Échantillons par quotas*

Un échantillon peut être vu comme un modèle réduit de la population cible. Le problème réside dans le fait que pour reproduire parfaitement une population, il faut en connaître toutes les caractéristiques. D'un autre côté, quelle serait l'utilité d'étudier une population si toutes ses caractéristiques étaient connues? Fort heureusement, certaines caractéristiques sont plus importantes que d'autres, donc plus facilement identifiables. La méthode des échantillons par quotas consiste à évaluer les caractéristiques de la population et à les reproduire dans l'échantillon. Si l'on prend, par exemple, une population constituée à 50 % d'hommes, un échantillon de 100 individus contiendra 50 hommes et 50 femmes. Il est possible de multiplier les caractéristiques. Ainsi, on peut choisir de sélectionner X femmes, mariées, travaillant à l'extérieur et ayant un revenu élevé. La constitution de strates homogènes augmente la fiabilité de la méthode, mais augmente aussi la difficulté du recrutement. Une fois les quotas déterminés, la sélection des individus se fait généralement d'une manière accidentelle.

2.5 *Conclusion*

Les techniques non probabilistes sont très souvent utilisées pour constituer un échantillon. Elles ont toutes comme effet de rendre plus difficile la généralisation des observations à la population cible et impossible l'utilisation des procédures d'inférence statistique. Cela n'est pas nécessairement un handicap: il s'agit de choisir la méthode échantillonnale en fonction de la question de recherche posée.

3. **Taille de l'échantillon**

Lorsqu'on choisit un échantillon, il est essentiel d'en déterminer la taille. Deux types de critères entrent alors en ligne de compte: des critères d'ordre pratique et des critères d'ordre statistique. Même si les coûts ne devraient pas être un obstacle à la réalisation d'une étude pertinente, bien formulée et dont le devis assure une bonne validité des conclusions, on sait qu'ils peuvent avoir une influence sur ce type de décision. Or, plus le nombre d'éléments sélectionnés dans l'échantillon est élevé, plus les coûts de la collecte des données seront élevés. Le budget pose ainsi des limites naturelles à la taille de l'échantillon. Il ne faut pas oublier que dans le domaine des sciences appliquées, qu'il s'agisse de la santé ou des sciences sociales, la collette des données représente souvent la partie la plus coûteuse d'une recherche.

Dans le cas des échantillons non probabilistes, les méthodes statistiques qui sont utilisées pour déterminer la taille d'un échantillon ne sont pas pertinentes. Les stratégies échantillonnales visent alors à maximiser l'utilité de l'information, et l'on doit cesser d'échantillonner lorsque l'information devient redondante. On ne peut donc définir a priori de façon certaine le nombre de sujets requis pour vérifier les hypothèses.

Dans le cas des échantillons probabilistes, la présence de certaines informations préalables permet de déterminer a priori la taille requise pour l'échantillon avec beaucoup de certitude. Ces informations dépendent de la nature de la question de recherche.

Dans des *études descriptives*, la taille de l'échantillon dépend de deux conditions: la variation du phénomène dans la population et le seuil de confiance de l'estimé que l'on veut obtenir. Plus la variation dans la population est élevée, plus l'échantillon requis pour décrire le phénomène doit être grand. Plus le seuil de confiance doit être élevé, plus la taille de l'échantillon doit l'être aussi.

Dans les *études analytiques*, il s'agit généralement d'estimer l'effet d'une variable sur une autre dans un modèle linéaire de la forme

$$y = b_1 x_1 + ... + b_i x_i + e$$

lorsque y est une variable continue avec une distribution normale, ou dans un modèle

$$\log \frac{p}{1-p} = b_1 x_1 + ... + b_i x_i + e$$

lorsque y est une variable dichotomique avec une probabilité P que $Y = 1$. Dans les deux cas, il s'agit d'estimer les coefficients b_i.

Il faut considérer quatre critères pour établir la taille de l'échantillon:

- L'ampleur de l'effet b_i que l'on veut observer. Plus cet effet est faible, plus l'échantillon devra être grand. La décision concernant l'ampleur de l'effet est souvent tributaire de critères cliniques.

- La variance de y. Plus cette variance est grande, plus l'échantillon devra être grand. Lorsque y est dichotomique, cette condition est liée à la probabilité P de l'événement. Plus cette probabilité est grande, plus l'échantillon doit être grand. La valeur de ce critère est déterminée à l'aide des études préalables ou d'études pilotes.

- La puissance désirée pour détecter l'effet déterminé par le premier critère. La puissance est le complément de l'erreur de deuxième espèce (1-ß). En d'autres termes, si cet effet existe vraiment, avec quelle probabilité veut-on le détecter ? Plus la puissance est élevée, c'est-à-dire plus elle se rapproche de 1, plus l'échantillon doit être grand. Pour des raisons pratiques, les chercheurs visent habituellement une puissance variant entre 70 % et 90 %.

- Le niveau de signification requis. En d'autres termes, quelle est la probabilité d'observer un effet b_i qui soit différent de 0, alors qu'il ne l'est pas en réalité. Ce critère est connu comme l'erreur de première espèce ou erreur alpha. Plus cette probabilité est faible, plus l'échantillon doit être grand. Un seuil alpha à 1 % requiert plus de sujets qu'un seuil à 5 %. On vise en général un seuil de 5 %.

Il existe différentes formules pour calculer la taille requise de l'échantillon. Chacun des quatre critères énumérés ci-dessus est nécessaire pour effectuer ces calculs.

Section 6 - DÉFINITION DES VARIABLES ET COLLECTE DES DONNÉES

But :	Montrer comment, de façon opérationnelle, les concepts sur lesquels porte la recherche sont traduits en variables, préciser comment les données seront recueillies et discuter la qualité des données
Contenu :	- Définition opérationnelle des variables - Méthode de collecte des données - Qualité des instruments de mesure
Longueur :	1 à 3 pages. Les instruments de mesure choisis doivent, quand cela est possible, être fournis en annexe.

a) Définition opérationnelle des variables

Toute question de recherche comprend la définition d'un certain nombre de concepts théoriques que le chercheur veut mettre en relation les uns avec les autres. Le degré d'opé-rationnalisation de ces modèles ne fait pas l'objet d'un consensus. Cependant, la section touchant la définition des variables doit permettre au lecteur d'évaluer l'adéquation entre les instruments utilisés, les variables choisies et les concepts théoriques décrits dans le cadre conceptuel. Deux aspects liés à la définition opérationnelle des variables doivent faire l'objet d'une attention particulière: la classification selon leur fonction et leur description.

1. Classification fonctionnelle des variables

Dans les recherches expérimentales, on définit trois grandes classes de variables: les variables indépendantes, les variables dépendantes et les «autres» variables dont il faut tenir compte pour vérifier les hypothèses à l'étude (variables contrôles, confondantes, etc.). Le protocole gagne en clarté lorsque les variables sont présentées selon cette classification.

Dans les recherches synthétiques, il faut présenter toutes les variables identifiées dans le modèle que l'on veut soumettre à l'épreuve des faits. Il n'est pas pertinent, dans ce type de recherche, de classer les variables selon leur catégorie (dépendantes, indépendantes, de contrôle), puisqu'elles peuvent appartenir à plusieurs classes dans le réseau de relations interdépendantes à étudier. Dans les recherches de développement, on s'intéresse essentiellement à établir et à valider une intervention ou un instrument de mesure d'un concept; il n'est pas nécessaire de distinguer les variables dépendantes des variables indépendantes. Enfin, dans les recherches descriptives que l'on peut mener quand on fait une recherche préalable ou une recherche de faisabilité, avant de se lancer dans une recherche principale, il faut décrire les variables sur lesquelles on veut recueillir de l'information.

Dans les recherches expérimentales, les variables indépendantes sont les variables dont on veut mesurer les effets. Elles peuvent être assimilées aux «causes» du phénomène que l'on veut étudier. Si l'on prend comme exemple l'hypothèse selon laquelle le risque d'accidents de la circulation augmente avec la consommation d'alcool, la variable indépendante est la consommation d'alcool (celle dont on veut mesurer les effets ou celle que l'on soupçonne d'être une cause d'accidents).

Les variables dépendantes sont les effets attendus, compte tenu des causes. Elles se situent habituellement à l'aboutissement du processus causal et sont toujours définies dans l'hypothèse ou dans la question de recherche. Dans l'exemple précédent, le risque d'accidents de la circulation correspond à la variable dépendante. Lorsqu'une étude comporte plus d'une hypothèse, plusieurs variables dépendantes peuvent être ainsi définies. Elles peuvent être indépendantes les unes des autres, ou constituer un ordre hiérarchique dans lequel certaines variables dépendantes peuvent avoir un effet sur d'autres variables dépendantes. Ainsi, les deux hypothèses suivantes:

H1: La consommation d'alcool diminue l'état d'alerte du cerveau;

H2: Le risque d'accidents de la circulation augmente lorsque l'état d'alerte du cerveau diminue.

Ces hypothèses permettent de définir un réseau de relations entre la consommation d'alcool et le risque d'accidents. Dans ce réseau, le risque d'accidents est toujours l'aboutissement du processus. Cependant, l'ajout de l'état d'alerte du cerveau comme mécanisme intermédiaire apporte des précisions sur la façon dont le processus se déroule. Dans cet exemple, on peut distinguer deux types de variables dépendantes. La variable dépendante principale (le risque d'accidents) est le phénomène que l'on veut expliquer dans la recherche. La variable dépendante intermédiaire ou médiatrice (l'état d'alerte du cerveau) représente le mécanisme qui précise la relation entre la variable indépendante et la variable dépendante principale. Les variables intermédiaires ne sont pas des variables confondantes, et leur omission dans le modèle ne modifie en rien l'estimation de l'effet total de la variable indépendante sur la variable dépendante. L'inclusion de ce type de variables permet cependant de préciser le processus causal qui explique les effets.

Enfin, il existe une troisième classe de variables, les «autres» variables, qui sont rarement présentes dans la formulation des hypothèses. Ce sont des variables qui peuvent influencer à la fois la variable dépendante et la variable indépendante. Dans le modèle expérimental, où les sujets de l'étude sont assignés aléatoirement, l'influence des «autres» variables est distribuée aléatoirement entre deux groupes. Ces autres variables n'agissent donc pas sur les différences entre ces groupes. Cependant, dans tous les devis où il n'y a pas d'assignation au hasard des sujets, un nombre infini de variables peut théoriquement influencer les variables dépendantes et les variables indépendantes. Dans ce cas, le chercheur doit tenter d'en éliminer l'influence. Celles qui peuvent être identifiées par le chercheur doivent alors être contrôlées, soit par le devis, soit par les critères d'exclusion dans la définition de la population cible, soit encore d'une façon analytique, lors de la phase d'analyse des données. Pour que le contrôle puisse se faire à la phase d'analyse, les données relatives à ces autres variables doivent être recueillies pour chacun des sujets de l'étude.

Des variables de type socio-démographique telles que l'âge, le sexe, l'éducation, le revenu et bien d'autres sont souvent citées comme variables potentiellement confondantes.

2. Description des variables

Les variables constituent un premier niveau d'opérationnalisation d'un modèle théorique dont il faudra ensuite, pour chacune, donner une description opérationnelle. Pour certaines variables telles que l'âge, le lieu de résidence et quelques autres, la définition opérationnelle est relativement aisée. L'âge est habituellement opérationnalisé par la différence entre la date de naissance et la date de la collecte de données.

Pour une classe plus large de variables, cette définition opérationnelle est plus complexe qu'elle n'apparaît à première vue. Par exemple, on pourrait croire que la mesure de la tension artérielle est une opération très simple, qui consiste uniquement à utiliser un sphygmomanomètre. On s'aperçoit très vite cependant que la lecture peut varier selon la compétence de l'utilisateur, le moment de la journée et le type d'activités qui précèdent immédiatement la prise de cette mesure. Dans ce cas-là, il est important de tenter de standardiser la mesure. Une description détaillée des conditions opérationnelles de mesure des variables est alors nécessaire. Lorsque les instruments utilisés sont peu courants, il faut parfois les décrire de façon détaillée dans le protocole jusqu'à y inclure, dans certains cas, le nom du fabricant.

Enfin, l'opérationnalisation des variables qui comportent habituellement plusieurs dimensions pose des problèmes extrêmement complexes. Le concept de santé, par exemple, peut être opérationnalisé par plusieurs variables qui, chacune à leur tour, peuvent être mesurées par une multitude d'indicateurs. Certaines études peuvent présenter tous ces niveaux de complexité de la définition opérationnelle.

Si l'on prend l'exemple déjà mentionné (la consommation d'alcool), les variables *consommation d'alcool* et *état d'alerte du cerveau* sont beaucoup moins opérationnelles que la variable *risque d'accidents* . Ainsi, telle qu'elle est énoncée, la variable *consommation d'alcool* ne spécifie pas s'il s'agit d'une consommation qui s'étale sur une longue période ou s'il s'agit d'une consommation ayant eu lieu juste avant la conduite du véhicule. Il est bien évident que, selon le cas, la mesure est complètement différente, tout comme le classement des sujets, par rapport à la variable. Dans la section sur la description des variables, le chercheur doit porter une attention particulière à la définition de chacune de celles-ci. Toujours dans le même exemple, la définition de la consommation d'alcool pourrait être la suivante:

- nombre de verres d'alcool consommés dans les quatre heures précédant la prise du volant, d'après la déclaration du conducteur;

- concentration d'alcool dans le sang, d'après le test d'haleine;

- observation du conducteur pendant qu'il subit le test qui consiste à marcher à reculons sur une ligne droite;

- analyse en laboratoire d'un échantillon sanguin.

Bien entendu, une telle variété de mesures possibles n'est pas relative uniquement à la consommation d'alcool. Un très grand nombre de variables peuvent être mesurées par une diversité de moyens. Toujours à l'aide de l'exemple ci-dessus, il est facile de constater que toutes les mesures ne conduisent pas nécessairement à des résultats équivalents. L'opérationnalisation des modèles doit se faire en tenant compte de deux classes de restrictions: celles liées à des conditions de faisabilité et celles liées aux qualités requises pour justifier l'utilité des variables mesurées. Même si ces deux catégories de contraintes sont interreliées, les premières font appel aux méthodes de collecte des données proprement dites, alors que les secondes renvoient aux indications théoriques et statistiques qui permettent d'évaluer les instruments de mesure utilisés en recherche.

b) Méthodes de collecte des données

Dans cette section du protocole, le chercheur doit décrire en détail la méthode qui sera utilisée pour la collecte des données. Il existe trois grandes sources de données: l'utilisation de documents, l'observation par le chercheur et l'information fournie par les sujets (voir la *Figure 6.1*). Dans cette section, le chercheur doit présenter tous les modes de collecte qui seront utilisés. S'il sait précisément quels instruments il utilisera, le chercheur doit les présenter en annexe. Bien entendu, la plupart du temps, tous les instruments pour toutes les variables ne peuvent apparaître dans le protocole. Cependant, le chercheur doit aller le plus loin possible dans l'opérationnalisation de la façon dont les variables seront recueillies.

La possibilité que la mesure des variables étudiées soit faussée par la simple présence d'un observateur constitue une des plus grandes difficultés auxquelles un chercheur peut faire face. Ce phénomène est appelé «réactivité» d'une variable. Plus une mesure est réactive, plus le phénomène qu'elle tente de mettre en lumière est modifié par l'observation. En d'autres termes, une instrumentation invasive entraîne une réactivité de la mesure, ce qui prévient une observation non biaisée. En fait, les seules observations auxquelles il est possible d'avoir accès sont celles effectuées lorsque le sujet est justement sous observation, ce qui n'est pas nécessairement équivalent aux observations qui pourraient être faites lorsque le sujet est à l'état naturel, non observé.

Le chercheur aurait bien tort de sous-estimer les problèmes qui découlent des mesures réactives, surtout dans des domaines de recherche où les sujets peuvent avoir des comportements volontaires. D'ailleurs, même les simples électrons font preuve de réactivité! En effet, au milieu des années 20, dans son ouvrage : *Le principe d'incertitude,* le physicien allemand Heisenberg démontrait qu'il est impossible de mesurer à la fois la vitesse et la position d'un électron en mouvement : toute tentative de mesurer la vitesse biaise l'observation de la position et toute tentative de mesurer la position biaise l'observation de la vitesse. Pourtant, à tout instant de son déplacement, un électron possède à la fois une vitesse et une position.

Dans le cas des sujets humains, les problèmes de collecte de données sont de nature similaire à ceux identifiés par Heisenberg. Ils sont toutefois beaucoup plus complexes et la nature des biais beaucoup moins facile à identifier. Le chercheur doit donc viser un minimum de réactivité, tout en tenant compte des conditions de faisabilité. Dans l'exemple des quatre façons de mesurer la consommation d'alcool, la mesure la plus réactive consiste probablement à demander au conducteur quelle quantité d'alcool il a bu dans les quatre heures avant de prendre le volant. En effet, par un biais de «désirabilité sociale», certains conducteurs peuvent être tentés de cacher la vérité, surtout s'ils pensent avoir trop bu. D'un autre côté, l'utilisation d'une mesure moins réactive, comme l'analyse de sang, peut également s'avérer difficile. Dans ce cas-là, les personnes peuvent refuser de collaborer, non seulement pour des raisons de «désirabilité sociale», mais également par crainte d'une douleur physique. En fait, dans le cas de la consommation d'alcool, la mesure la moins réactive demeure celle de la concentration d'alcool dans le sang lors d'une autopsie. Bien entendu, cette méthode est restreinte à l'étude de populations cibles très particulières.

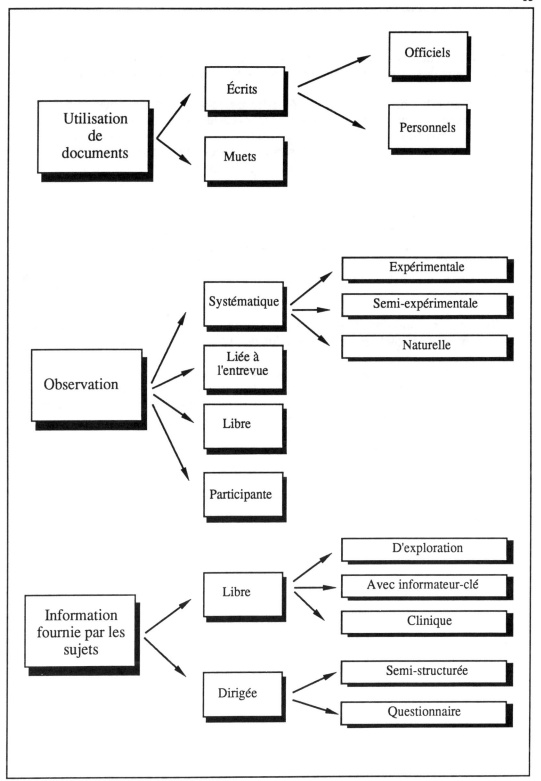

Figure 6.1 : Méthode de collecte des données

Comme on peut déjà s'en douter, lors de l'évaluation de la faisabilité d'une méthode de collecte de données, il faut souvent tenir compte de considérations d'ordre éthique.

Il est possible de classifier les méthodes de collecte des données de différentes façons. La classification proposée ici ne concerne que les sciences humaines. Elle repose sur le regroupement des méthodes en trois classes, allant des méthodes théoriquement les moins réactives aux plus réactives: l'utilisation de documents, l'observation des sujets et l'information fournie par les sujets eux-mêmes (*self report*).

1. *Utilisation de documents*

L'activité humaine laisse presque toujours des traces, que celles-ci soient muettes (ex.: objets), sonores (ex.: disques, bandes), visuelles (ex.: dessins, peintures, films, bandes vidéo) ou écrites (ex.: inscriptions, textes, données, etc.). Ainsi, par *document*, il faut entendre ici toute source de renseignements déjà existante à laquelle un chercheur peut avoir accès.

Parmi la multitude de formes que peuvent prendre les documents écrits, on peut distinguer, en fonction de leur source de diffusion, les catégories suivantes :

- Les documents officiels, c'est-à-dire ceux émanant de gouvernements ou d'entreprises (ex.: les organigrammes, les plans de travail, les répartitions de tâches), souvent utilisés par les chercheurs; ces documents peuvent servir, par exemple, dans le cas d'études organisationnelles en santé;

- Les documents personnels (ex.: les correspondances ou les journaux intimes) qui sont rarement utilisés dans le domaine de la recherche en santé;

- La presse (comprenant, au sens large, les périodiques et les publications scientifiques) qui constitue une source presque inépuisable de données;

- Les documents *utilitaires* (ex.: annuaires de téléphone, publicité) qui peuvent également être utilisés en recherche.

Les données administratives individualisées constituent une autre catégorie de documents écrits; pour des raisons de coûts, ces données ne sont recueillies et maintenues à jour que par les gouvernements et les grandes entreprises. Ces documents se présentent le plus souvent sous forme de dossiers dont le contenu peut servir soit à des fins de référence future (ex.: le dossier médical), soit à des fins administratives (ex.: les fichiers d'accidents). Dans le domaine de la recherche, on utilise de plus en plus les données administratives individualisées qui, grâce à la généralisation de l'informatique, sont à la portée de presque tous les chercheurs. La couverture extraordinaire de segments entiers de la population constitue un des grands avantages de ce type de documents. La Régie de l'assurance-maladie du Québec, par exemple, possède des informations sur les services médicaux dispensés à toutes les personnes résidant au Québec. Par contre, étant donné que ces renseignements n'ont pas été recueillis à des fins de recherche, les contrôles de qualité sont prévus pour satisfaire à des critères différents, et les informations sont souvent incomplètes pour l'étude d'un problème donné. De plus, les conditions d'anonymat de l'information préviennent ou rendent extrêmement difficile l'appariement des renseignements provenant de sources différentes.

Finalement, n'ayant pas été recueillies à des fins de recherche, les donnes administratives individualisées constituent, la plupart du temps, des sources d'information complètement non réactives. Toutefois, certaines études font état de cas où des gens modifient, consciemment ou non, le traitement des données qu'ils produisent ou manipulent lorsqu'ils savent que ces dernières servent à des fins de recherche. L'utilisation de documents ne signifie donc pas nécessairement l'absence de réactivité, surtout lorsqu'il s'agit d'études prospectives.

2. Observation des sujets

Dans tous les domaines de la connaissance, l'observation des sujets est la plus ancienne et la plus utilisée des méthodes de collecte des données. Ainsi, la simple observation de ce qui les entourait a permis aux scientifiques d'acquérir des connaissances non négligeables sur l'homme, sur son environnement immédiat et sur l'univers. Depuis toujours, les scientifiques ont cherché à perfectionner leurs moyens d'observation et, aujourd'hui, il est possible d'observer des phénomènes et des réalités que les sens ne peuvent appréhender. Le microscope électronique, par exemple, permet d'examiner un neurone; le téléscope géant permet d'observer la naissance d'une galaxie située à des milliers d'années-lumière et le compteur Geiger permet de mesurer avec exactitude la présence d'une entité qu'aucun sens humain ne pourrait soupçonner, la radiation.

Pour ce qui est des instruments construits dans le but d'étudier l'être humain, les plus perfectionnés sont certainement ceux destinés à observer les différents éléments du corps et leur fonctionnement. En médecine, par exemple, les techniques d'imagerie, depuis la simple radiographie jusqu'à la résonance magnétique, permettent d'explorer l'intérieur du corps humain sans qu'il soit nécessaire de pratiquer une incision. Par contre, lorsqu'il s'agit d'observer des phénomènes abstraits, comme le bien-être psychologique ou le niveau socio-économique, les instruments d'observation qui n'exigent pas que le sujet interagisse directement avec le chercheur sont relativement rares et souvent contestés.

Il existe quatre grandes formes d'observation des sujets. Elles se distinguent par la distance entre le chercheur et l'action qui se déroule, de même que par la standardisation des éléments d'observation. Ce sont: l'observation systématique, l'observation liée à l'entrevue, l'observation participante et l'observation libre.

L'*observation systématique* implique la plus grande distance entre le chercheur et le phénomène à observer. Le chercheur est alors habituellement muni d'une grille qui lui rappelle les éléments qu'il doit observer ou la séquence dans laquelle les éléments doivent apparaître. La grille d'observation standardisée permet d'observer les comportements de tous les sujets de la même façon. Cette forme de collecte de données a été utilisée, entre autres, dans le domaine de la sécurité routière. Pour juger des comportements sécuritaires des conducteurs dans leur première année de conduite, un observateur s'installait sur la banquette arrière du véhicule. La grille d'observation était appliquée dans le cadre d'un circuit routier, dans des conditions climatiques et de circulation qui étaient aussi semblables que possible pour tous les sujets. Elle comprenait des points comme l'utilisation des rétroviseurs, des clignotants et des autres accessoires de sécurité, le respect de la réglementation, l'attention à la signalisation, etc.

Le degré de réactivité de l'observation systématique peut varier en fonction du contexte dans lequel elle est effectuée. Dans un contexte naturel, c'est-à-dire lorsque le chercheur ne fait qu'observer le comportement des sujets sans que rien ne les dérange de leurs habitudes, la réactivité est minimale. On peut penser ici au chercheur qui, pour savoir si les conducteurs de voiture et leurs passagers portent la ceinture de sécurité, observerait du bord de la route les voitures qui passent. Dans une situation quasi-expérimentale, c'est-à-dire lorsque le chercheur observe des sujets soumis à un traitement qui n'est cependant pas contrôlé par lui, la réactivité est un peu plus forte. Les personnes évacuées de Saint-Basile-Le-Grand à la suite de l'incendie de l'entrepôt de BPC ont fait l'objet d'une observation de ce type. Enfin, dans un contexte expérimental, le chercheur contrôle le traitement et observe ensuite la réaction des sujets à ce traitement. Puisqu'ils doivent en général donner leur consentement pour faire l'objet d'une expérience, les sujets savent qu'ils sont observés et cela peut modifier leur comportement. Par conséquent, cette méthode est habituellement assez réactive. Il faut cependant rappeler que l'observation systématique dans un contexte expérimental a souvent été utilisée par des chercheurs qui, peu soucieux des questions éthiques, n'informaient pas les sujets qu'ils faisaient l'objet d'une expérience. Des militaires ont ainsi *participé* à des études, financées par la CIA, sur les effets de psychotropes ou de gaz innervants.

Dans l'*observation liée à l'entrevue,* le chercheur est un peu plus près des sujets. Il utilise simultanément deux méthodes de collecte des données. La première information est celle que le sujet fournit lui-même lors de l'entrevue ou dans le questionnaire, et la deuxième provient de l'observation des réactions du sujet face à différents stimuli produits par le chercheur. Cette deuxième information est souvent plus importante que la première. L'observation liée à l'entrevue est fréquemment réalisée à l'aide d'une grille standardisée, utilisée pour tous les sujets. Elle se distingue de l'observation systématique par l'interaction entre le chercheur et les sujets.

La troisième forme d'observation, l'*observation participante,* suppose aussi l'utilisation d'une grille d'observation qui détermine à l'avance les aspects qui doivent retenir l'attention de l'observateur. Cependant, puisque dans ce cas l'observateur interagit pleinement avec les sujets, sans qu'il n'y ait de distinction chercheur–sujets, l'utilisation de la grille ne peut évidemment pas être aussi systématique que dans les cas précédents. Ce type d'observation est surtout utilisé pour certaines formes d'évaluation de programmes et pour les études anthropologiques où les aspects qualitatifs des effets sont plus valorisés que les aspects quantitatifs. L'observation participante est aussi utilisée en recherche organisationnelle où certains membres d'une organisation décident d'observer ce qui s'y passe. Le degré de réactivité est faible quand l'observation participante est faite à l'insu des sujets observés.

Finalement, dans l'*observation libre,* le chercheur aborde la situation sans grille pour recueillir ses informations. Cette méthode a surtout été utilisée par certains anthropologues et sociologues. Au départ, l'observation libre est hautement réactive, mais sa réactivité diminue par la suite parce que l'observateur fait partie de la situation observée.

3. Information fournie par les sujets

L'information fournie par les sujets eux-mêmes est utilisée lorsque ces derniers sont les seuls à connaître l'information dont le chercheur a besoin ou lorsque l'observation est impraticable. Cela peut se produire quand l'information porte sur des événements qui ont déjà eu lieu ou quand les connaissances, les attitudes ou les comportements étudiés ne peuvent être observés ou sont connus seulement du sujet. Par exemple, l'observation directe des habitudes sexuelles de l'être humain est impossible, en raison du caractère intime de ce comportement.

Or, quand l'information est fournie par le sujet lui-même, la collaboration de ce dernier est nécessaire. La réactivité est alors maximale. Cette réactivité se manifeste de plusieurs façons: certaines personnes refusent de répondre à un questionnaire, d'autres sélectionnent les informations qu'elles donnent ou encore fournissent des informations biaisées. Le sujet peut fournir de l'information de deux façons, soit oralement, soit par écrit.

L'information fournie oralement implique que le chercheur interagisse directement avec le sujet. Cette méthode de collecte de l'information est particulièrement bien adaptée à des situations où un contact direct avec le sujet est souhaitable, ou lorsque l'on désire obtenir des informations sur des questions complexes qui demandent une réponse élaborée. Cette forme de collecte de données est aussi nécessaire quand les sujets à l'étude ne peuvent répondre à un questionnaire écrit (population illettrée, trop âgée ou trop jeune, handicapée, etc.).

Un des avantages de l'information fournie oralement est qu'elle permet d'obtenir des taux de réponses très élevés. Par contre, c'est une méthode très coûteuse. Pour pallier cet inconvénient, le chercheur peut alors avoir recours aux entrevues téléphoniques. Dans ce cas, en raison de l'absence de contact visuel, il devra s'assurer que la personne interrogée a bien compris toutes les questions.

L'information fournie oralement par le sujet peut être obtenue soit dans une entrevue libre, soit dans une entrevue dirigée. Dans l'*entrevue libre*, chercheur ne structure pas l'entrevue à l'avance dans le but d'obtenir une information précise. L'interaction entre le sujet et le chercheur joue un rôle important pour stimuler la communication. Il existe trois formes principales d'entrevue libre: l'entrevue d'exploration, l'entrevue avec un informateur clé et l'entrevue clinique.

Dans l'*entrevue d'exploration*, le chercheur demande aux sujets de s'exprimer librement sur la variable dépendante. Le rôle du chercheur, en cours d'entrevue, se limite à recueillir l'information, à stimuler la communication, à maintenir le flot d'informations sur les variables étudiées. Ce genre d'entrevue est souvent réalisé au tout début d'un programme de recherche, lorsqu'il est important de définir toutes les facettes des variables.

Dans l'*entrevue avec un informateur clé*, celui-ci communique une information qui concerne un groupe plus large et dont il fait partie. D'ailleurs, l'informateur est souvent choisi à cause de son rôle au sein du groupe étudié. Étant donné que l'information ne le concerne pas en particulier, l'informateur clé est théoriquement moins réactif à la situation que ne le sont les sujets.

Enfin, l'*entrevue clinique* vise d'abord et avant tout un objectif thérapeutique, c'est-à-dire un objectif centré sur les besoins du patient. Mais l'information obtenue peut également être utilisée à des fins de recherche. La théorie psychanalytique de Freud, par exemple, a été élaborée à partir du matériel recueilli lors d'entrevues cliniques.

Les *entrevues dirigées* se distinguent des entrevues libres par la structure que le chercheur leur impose au préalable, c'est-à-dire par le fait qu'il détermine à l'avance les facettes et les dimensions de l'information recherchée. Concrètement, il prépare et formule à l'avance les questions qu'il va poser au sujet. Dans les entrevues semi-structurées, que certains appellent entrevues centrées, la formulation préalable des questions n'est pas définitive. Le chercheur se réserve la possibilité d'ajouter des questions en cours d'entrevue, de façon à obtenir une information plus approfondie sur certains points.

Quant à l'information fournie par écrit, elle a l'avantage de permettre un meilleur contrôle de la confidentialité des données. De plus, elle permet d'obtenir des informations sur des questions qui demandent un certain temps de réflexion ou auxquelles il peut être gênant de répondre lors d'une entrevue. Cette forme de collecte de données est généralement plus économique que les entrevues. Par contre, la proportion des non-répondants est plus élevée. Pour fournir l'information par écrit, les sujets remplissent généralement eux-mêmes un questionnaire qui comporte des questions ouvertes ou fermées. Lorsque les questions sont ouvertes, les répondants doivent formuler eux-mêmes leurs réponses; lorsque les questions sont fermées, les répondants doivent effectuer un choix parmi les réponses qui leur sont proposées.

4. Conclusion

Le chercheur doit, dans cette section qui porte sur la méthode de collecte des données retenue, s'assurer :

- qu'il a indiqué de façon précise comment il procédera;

- qu'il a précisé les instruments qu'il utilisera (il est souhaitable, quand cela est possible, de fournir en annexe les instruments de collecte retenus);

- qu'il a discuté de la qualité de ces instruments lorsque ces instruments sont disponibles ou, sinon, des procédures prévues pour en vérifier la qualité.

c) Qualité des instruments de mesure

La qualité d'un instrument de mesure s'apprécie par sa fiabilité (ou fidélité) et par sa validité. La fiabilité est la capacité d'un instrument à mesurer fidèlement un phénomène. La validité est la capacité d'un instrument à bien mesurer le phénomène à l'étude.

La section du protocole qui présente les instruments de mesure doit inclure des informations sur la fiabilité et la validité de chacun des instruments choisis par rapport à chacune des variables étudiées. Ces informations se trouvent en général dans les documents qui portent sur le sujet. Lorsqu'il existe un grand nombre de documents, le chercheur peut ne retenir que ceux qui traitent de populations similaires à la population cible. Habituellement, les instruments de mesure largement utilisés font l'objet de nombreuses publications sur leurs qualités métriques. Par exemple, au cours des 40 dernières années, il y a eu près de 1 500 publications au sujet du MMPI (Minnesota Multiphasic Personality Inventory).

Inversement, lorsqu'un test est peu utilisé ou lorsqu'il est récent, les documents portant sur ses qualités métriques sont plutôt rares. Il est donc peu probable que l'on puisse trouver des informations psychométriques s'appliquant à une population similaire à celle de la population cible. Dans ce cas, il faut indiquer dans le protocole comment la qualité de l'instrument sera évaluée. Pour cela, on peut soit utiliser des résultats préliminaires ou encore prévoir d'inclure, dans le protocole lui-même, une étude préalable pour prétester les instruments de mesure dont la qualité n'est pas connue.

Lorsqu'il prépare un protocole, le chercheur est souvent placé face à l'alternative suivante: utiliser un instrument de mesure existant et dont la qualité est connue, mais qui ne répond pas forcément aux objectifs spécifiques de l'étude, ou construire un nouvel instrument parfaitement adapté aux besoins de la recherche, mais dont il faut prouver la qualité. La décision est souvent difficile à prendre. Le tableau 6.1 indique les principaux avantages et les principaux inconvénients des deux possibilités.

Lorsque le chercheur opte pour la mise au point d'un instrument de mesure nouveau ou pour l'utilisation d'un instrument dont la qualité n'a pas été évaluée, il doit préciser dans cette section du protocole comment se déroulera le prétest. Cette étude préalable, tout comme l'examen des documents dans le cas d'instruments déjà existants, a pour but d'établir la fiabilité et la validité des instruments qui seront utilisés.

1. Fiabilité d'un instrument de mesure

La fiabilité d'un instrument de mesure est sa capacité à reproduire un résultat de façon consistante dans le temps et dans l'espace ou lorsqu'il est utilisé correctement par des observateurs différents.

Ainsi, par définition, l'appréciation de la fiabilité repose sur la répétition de l'opération de mesure et sur la comparaison des résultats obtenus. Si l'objet d'observation est très stable (par exemple la mesure de la taille d'un adulte à l'aide d'une toise), les différentes mesures que l'on peut en faire devraient être similaires d'une observation à l'autre. Si, par contre, l'objet d'observation est un phénomène transitoire (par exemple la satisfaction, l'anxiété, etc.), les résultats pourront varier d'une mesure à l'autre sans que cela soit attribuable à l'instrument de mesure. Un instrument de mesure est d'autant plus fiable que les erreurs aléatoires et transitoires sont faibles par rapport à la valeur des phénomènes mesurés. Il faut remarquer qu'un instrument qui est faussé de façon systématique (sans l'effet du hasard) peut être parfaitement fiable mais manquer de validité.

Il existe trois grandes approches pour évaluer la fiabilité d'un instrument :

- la comparaison des résultats obtenus par l'utilisation d'un même instrument à différents moments, pour évaluer sa stabilité;

- l'appréciation de l'équivalence des résultats obtenus quand un même phénomène est mesuré par plusieurs observateurs à un même moment;

- l'appréciation de la fiabilité d'un instrument composé de plusieurs éléments ou indicateurs, en mesurant l'homogénéité de ses composantes.

TABLEAU 6.1

AVANTAGES ET INCONVÉNIENTS ASSOCIÉS AU CHOIX D'UN INSTRUMENT DE MESURE

	Utilisation d'un instrument existant	**Construction d'un nouvel instrument**
Avantages	- Permet de connaître à l'avance les qualités métriques de l'instrument - Permet de comparer les résultats obtenus avec ceux obtenus auprès d'autres populations, à d'autres moments - Réduit l'échéancier du projet - Permet de réaliser la recherche avec un budget plus modeste	- Permet de mesurer exactement les variables à l'étude
Inconvénients	- Peut ne pas mesurer exactement ce que l'on veut savoir - Demande souvent des modifications, ce qui complique l'appréciation de la qualité - Exige des modifications si les qualités métriques ont été établies à partir de populations très différentes de celles de l'étude	- Demande du temps et des ressources - Retarde le début de l'étude - Nécessite la préparation d'une étude préalable pour prétester l'instrument

Le choix des tests statistiques à utiliser pour mesurer la fiabilité d'un instrument dépend de l'approche de validation envisagée et du type de données fournies par l'instrument de mesure. La fiabilité d'un instrument s'évalue différemment selon que la mesure obtenue est une variable continue (comme l'est un résultat global à l'évaluation de l'intelligence ou la mesure du poids d'un individu), une variable ordinale (comme l'appartenance à un échelon comme ceux faisant partie de l'échelle socio-économique) ou encore une variable nominale (comme un diagnostic).

Les coefficients dont il faut tenir compte pour apprécier la fiabilité d'un instrument diffèrent selon l'approche de validation retenue et le type de variable mesurée. On trouvera dans l'annexe 1 une description plus formelle de la logique de l'évaluation de la fiabilité ainsi que la description des principaux coefficients utilisés pour l'apprécier.

En résumé, la fiabilité est une caractéristique de l'instrument de mesure qui est indépendante de la question de recherche. Elle peut cependant changer selon les populations étudiées.

Certains auteurs ont proposé des normes d'acceptation des valeurs de fiabilité. Dans le présent document, on considère plutôt que l'acceptabilité d'une valeur de fiabilité dépend de la question de recherche. Le chercheur doit inscrire dans le protocole toutes les indications concernant la fiabilité des instruments qui seront utilisés. L'absence de fiabilité peut avoir des conséquences très graves pour la validité des conclusions statistiques de l'étude. Dans les études expérimentales, la non-fiabilité de la mesure de la variable dépendante augmente la variance de celle-ci, ce qui réduit la possibilité d'observer un effet significatif d'une variation de la variable indépendante sur la variable dépendante et, par conséquent, la puissance de la recherche. Dans les études synthétiques d'observation, la non-fiabilité de la mesure des variables dépendantes ou indépendantes entraîne aussi une perte de puissance. Par ailleurs, la non-fiabilité de la mesure des variables confondantes entraîne une réduction de la capacité d'en contrôler les effets, ce qui introduit un biais dont la direction et l'ampleur ne peuvent être identifiés. Ce biais constitue, en fait, une menace pour la validité interne de la recherche.

2. Validité de la mesure

Le développement théorique qui sous-tend le concept de validité n'a pas atteint un degré de cristallisation semblable à celui du concept de fiabilité. La notion de validité demeure beaucoup plus abstraite que celle de fiabilité et elle dépend en grande partie du contexte d'utilisation de l'instrument. Par exemple, il est peu probable que quiconque conteste la validité de l'utilisation d'un sphygmomanomètre pour mesurer la tension artérielle (pourvu, bien entendu, que certaines conditions soient respectées). Par contre, l'utilisation de ce même instrument pour mesurer l'état de santé d'un patient soulèverait certainement de nombreuses objections. On peut donc dire que la validité est dépendante du contexte (social, culturel, linguistique) d'utilisation des instruments. Dans cette perspective, il est beaucoup plus difficile de trouver des publications qui prouvent la validité des instruments. En fait, les seules évaluations pertinentes sont celles qui sont réalisées dans des contextes d'études similaires à celui de l'étude proposée.

Encore une fois, la validité se définit comme la capacité d'un instrument à mesurer le phénomène étudié, c'est-à-dire l'adéquation qui existe entre les variables retenues et le concept théorique à mesurer. Cette adéquation ne peut être estimée directement à l'aide d'une formule mathématique donnant un coefficient unique et général d'appréciation de la validité. Par conséquent, l'évaluation de la validité d'un instrument est plus complexe que l'évaluation de sa fiabilité. Il existe trois types de validité:

- la validité de contenu;
- la validité pratique ou de critère;
- la validité de «construit».

2.1   Validité de contenu

La validité de contenu consiste à juger dans quelle mesure les éléments sélectionnés pour mesurer un construit théorique représentent bien toutes les facettes importantes du concept à mesurer. Par exemple, la validité de contenu d'un instrument de mesure de la qualité de vie serait probablement fort contestée si l'instrument ne touchait pas du tout aux aspects sociaux de la vie. Ce type de validité inclut la validité apparente de l'instrument, c'est-à-dire la cohérence apparente qui existe entre ce que l'on veut mesurer et l'instrument de mesure que l'on a choisi.

Pour évaluer la validité de contenu de leurs instruments, de nombreux chercheurs ont recours à un panel d'experts auxquels ils demandent de se prononcer sur l'adéquation apparente entre l'instrument proposé et le construit à mesurer. D'autres choisissent de demander à un certain nombre de membres de la population cible de juger de la validité de contenu de l'instrument.

Dans le cas particulier des questionnaires, un des aspects importants de cette validité est la formulation des questions. Les chercheurs tendent souvent à utiliser un jargon difficile à comprendre, ce qui touche directement la validité de contenu du questionnaire.

2.2   Validité pratique (de critère)

Ce type de validité renvoie à la capacité de l'instrument à mesurer quelque chose qui est corrélé avec un critère d'intérêt, souvent un comportement. Lorsque ce critère se situe dans l'avenir, on parle de validité prédictive et lorsqu'il est contemporain, on parle de validité concourante ou concomitante.

Si l'on prend, par exemple, la validité prédictive des tests d'admission à l'université, ceux-ci peuvent être évalués par leur corrélation avec les résultats scolaires au cours de la première année du baccalauréat. Puisque le concept que l'on veut mesurer par les tests d'admission est la capacité à réussir des études universitaires, sa corrélation avec les résultats scolaires constitue un bon test de validité prédictive. La validité concomitante repose sur la même logique. Il s'agit de mettre en corrélation les résultats obtenus par l'instrument à tester avec les résultats obtenus par l'utilisation d'un critère contemporain à la mesure. Par exemple, les résultats à un examen clinique sont souvent utilisés pour évaluer la validité de critère d'un questionnaire de dépistage en santé mentale.

Dans les études épidémiologiques, la validité de critère est évaluée à l'aide de deux indicateurs: la *sensibilité* et la *spécificité*. La validité d'un examen de dépistage ou de diagnostic est évaluée par rapport à la présence ou à l'absence de la maladie (validité conco-

TABLEAU 6.2

TABLEAU DE CONTINGENCE
POUR L'ÉVALUATION DE LA SENSIBILITÉ
ET DE LA SPÉCIFICITÉ D'UN TEST DIAGNOSTIQUE

		Malade	Non-malade	
Test	Pos	VP	FP	Positifs
Diagnostique	Neg	FN	VN	Négatifs

$$\text{Sensibilité} = \frac{VP}{VP + FN}$$

$$\text{Spécificité} = \frac{VN}{VN + FP}$$

mitante). Les résultats d'un examen peuvent être présentés selon un tableau de contingence comme le tableau 6.2. Les vrais positifs (VP) sont ceux correctement détectés par le test, alors que les vrais négatifs (VN) sont ceux correctement écartés par le test. Les malades sont divisés en vrais positifs ou en faux négatifs (FN), alors que les normaux peuvent être de vrais négatifs ou de faux positifs (FP). La sensibilité d'un test est sa capacité à détecter tous les individus malades, et elle est donnée par la proportion des malades correctement détectés par le test. La spécificité d'un test est sa capacité à déterminer comme étant normaux tous les individus qui sont effectivement normaux, et elle est calculée par la proportion d'individus normaux correctement écartés par le test.

2.3   Validité de «construit»

Alors que la validité pratique met en relation la mesure obtenue par un critère empirique de résultat, la validité de construit porte sur la relation entre les concepts théoriques et leur opérationnalisation. Elle concerne donc la relation épistémique qui devrait exister entre un concept et sa mesure. Il est possible d'apprécier cette validité de plusieurs façons.

Une première forme de validation est la validation nomologique ou la validation théorique. Il s'agit de poser un certain nombre d'hypothèses sur les résultats que l'on devrait observer à l'aide de l'instrument, dans certaines conditions et pour certaines populations. Par exemple, un test voulant mesurer la qualité de la vie devrait montrer que les personnes en bonne santé jouissent d'une meilleure qualité de vie que les personnes souffrant d'une maladie chronique invalidante. Ou encore, un test voulant mesurer la capacité pulmonaire devrait indiquer que la capacité pulmonaire est meilleure chez les non-fumeurs que chez les fumeurs. En fait, toute hypothèse reposant sur une approche théorique peut être formulée a priori pour tester la validité nomologique d'un instrument. Ces hypothèses peuvent prendre la forme de différences entre des groupes, de changements dans le temps selon une manipulation provoquée ou de corrélations entre des variables. La confirmation de ces hypothèses ne prouve pas la validité de construit, mais soutient la présomption que l'instrument mesure bien le construit qu'il est censé mesurer. Cependant, la non-confirmation de l'hypothèse n'invalide pas nécessairement l'instrument, car une non-confirmation peut aussi signifier l'absence de justesse de la théorie initiale.

Une deuxième forme de validation est la validation de trait. La logique sous-tendant cette validation est intéressante surtout lorsqu'il s'agit de mesurer des construits autour desquels un modèle théorique n'est pas encore très bien développé. Il s'agit alors de corréler les résultats obtenus par le test à valider, avec les résultats obtenus par un autre test mesurant sensiblement le même construit. En fait, la corrélation entre les deux instruments donne une indication de validité de construit qui est parfaitement symétrique, c'est-à-dire égale pour les deux instruments.

Une variante de la validation de trait est la validation multi-trait-multi-méthode. Cette validation repose sur la logique suivante: la corrélation entre la mesure obtenue par l'instrument à valider et celle obtenue par un instrument qui mesure le même trait doit être supérieure à celle obtenue avec une mesure provenant d'un instrument mesurant un autre trait. La conjugaison de la validation de trait et de la validation discriminante résulte en des indications encore plus probantes sur la validité de construit d'un instrument.

La troisième forme de validation est la validation factorielle. Cette validation repose sur une analyse factorielle des éléments formant l'index à évaluer. Les éléments, qui théoriquement devraient mesurer une même dimension, devraient se regrouper dans un même facteur.

En conclusion, la validité est une caractéristique très subtile des instruments de mesure. Les indicateurs de validité sont rarement univoques. Les évidences de validité s'accumulent au fil des recherches dans lesquelles on a utilisé le même instrument et ce n'est qu'au terme d'une longue période que les publications commencent à faire état de cette validité.

Section 7 - ANALYSE DES DONNÉES

But :	Planifier et expliquer les principales opérations auxquelles le chercheur soumettra ses données afin d'atteindre les objectifs de l'étude
Contenu :	Les informations contenues dans cette section du protocole sont différentes selon qu'il s'agisse d'une analyse qualitative ou d'une analyse quantitative.
	• Analyse qualitative - Préparation et description du matériel brut - Réduction des données - Choix et application des modes d'analyse - Analyse transversale
	• Analyse quantitative - Analyse descriptive - Analyse liée aux hypothèses
Longueur : 1 à 2 pages	

Cette section du protocole sert à planifier et à expliquer les principales opérations auxquelles le chercheur soumettra les données afin d'atteindre les objectifs de l'étude. Bien entendu, toutes les opérations ne peuvent être définies a priori de façon exhaustive. En effet, la collecte de données et certaines analyses préliminaires peuvent révéler des problèmes et des difficultés qui rendront désuète la planification initiale de l'analyse des données. Néanmoins, lors de la rédaction du protocole, il est essentiel de planifier et de mettre par écrit les principaux jalons du plan d'analyse et ceci, en fonction de la vérification de chacune des hypothèses formulées.

Lorsque le chercheur prévoit utiliser des techniques d'analyse connues et acceptées comme valides par l'ensemble de la communauté scientifique, il peut se contenter de les décrire brièvement. Par contre, s'il prévoit utiliser des techniques moins connues ou des techniques connues mais dans un contexte moins habituel, le chercheur doit les décrire plus longuement. Dans ce cas, il devra veiller à ce que cette description ne soit pas trop fastidieuse et à ne pas utiliser un langage trop technique. En bref, il s'agit de démontrer l'adéquation des analyses choisies pour répondre à la question ou pour vérifier les hypothèses de recherche.

Il existe deux grandes familles de techniques pour l'analyse des données: les études qualitatives, dans lesquelles les données sont présentées sous le mode verbal (par exemple le texte intégral d'une entrevue, des notes non soumises à une grille rigide, des documents écrits, etc.) et les études quantitatives, dans lesquelles les données sont présentées sous le mode numérique. Ces deux modes d'analyse sont fondamentalement différents et font appel à des connaissances et à des techniques diamétralement opposées. Par conséquent, cette section du protocole sera tout à fait différente selon qu'il s'agisse d'une analyse qualitative ou d'une analyse quantitative.

a) Analyses qualitatives

Il n'existe pas de règle formelle, dans le sens statistique, pour l'analyse qualitative des données. Cependant, lorsque les données se présentent sous forme de discours, l'analyse peut comprendre quatre étapes :

- la préparation et la description du matériel brut;
- la réduction des données;
- le choix et l'application des modes d'analyse;
- l'analyse transversale des situations ou des cas étudiés.

1. Préparation et description du matériel brut

La première étape consiste à produire une base empirique complète et facilement accessible. Les données qualitatives peuvent provenir de différentes sources (documents, entrevues) et sont souvent volumineuses. La préparation du matériel brut vise essentiellement à rassembler et à compléter par des notes, parfois même à retranscrire le matériel obtenu lors des entrevues, en vue de créer une banque de données ordonnées pour poursuivre les autres étapes de l'analyse. Une description de ce matériel, par exemple une liste chronologique des documents et des entrevues, complétée par des données descriptives sur les répondants, facilitera l'analyse ultérieure des données. Idéalement, lorsque cette première étape est terminée, un autre chercheur devrait pouvoir saisir cette base empirique et s'engager lui-même dans les autres phases de l'analyse. À cette étape, il est donc important d'établir un bon système de classification des documents et de bien documenter les sources et la provenance du matériel.

2. Réduction des données

Cette deuxième étape est une étape de compression des données. Il s'agit, à l'aide de certains principes organisateurs, de dégager des composantes du discours (mots, passages) en vue de les associer à des thèmes d'intérêt (DeVries et Miller, 1987) pour l'étude. L'objectif est de réduire et de structurer l'ensemble des données et des informations issues de la première étape.

La réduction des données s'effectue de trois façons (adapté de Miles et Huberman, 1984):

- la rédaction de sommaires;
- la codification;
- le repérage des thèmes et la réalisation de regroupements.

La première forme de réduction des données est la production d'un sommaire présentant le récit des événements ou du contenu des entrevues liés à une situation ou à un individu. Il représente une forme très générale de structuration des données. Le sommaire réduit la masse d'informations sans s'appuyer sur des principes précis d'intégration.

La codification est le mode privilégié de réduction des données. Elle consiste à attribuer des catégories à des portions de discours qui sont bien circonscrites et qui présentent une unité conceptuelle élevée. Un bon système de codification doit être inclusif, adaptatif et doit correspondre à plusieurs niveaux d'abstraction (Pfaffenberger, 1988). Par inclusif, on entend un système suffisamment développé (exhaustivité et multiplicité des codes) de manière à révéler l'ensemble des liens entre les différents éléments du discours. Un même élément du discours peut se voir attribuer plusieurs codes. La codification doit s'adapter aussi à l'évolution de l'étude, en permettant de générer de nouveaux codes, en fonction des données nouvellement obtenues ou d'une plus grande compréhension de la situation à l'étude. Enfin, le système de codification doit permettre d'appréhender les éléments du discours à différents niveaux d'abstraction. Certains codes visent un objectif essentiellement descriptif (par exemple signaler la fréquence d'un événement), tandis que d'autres ont une vocation analytique ou théorique (par exemple le rôle de malade, le contrôle thérapeutique, etc.).

Le chercheur peut réduire ses données de façon inductive en déterminant des thèmes à partir de la base empirique, puis en faisant des regroupements autour de ces thèmes. La différence entre ce procédé de réduction et la codification réside dans le fait que la codification repose sur une détermination a priori des catégories importantes.

Certaines techniques de réduction des données ont été mises au point. Elles vont d'approches essentiellement énumératives (Pfaffenberger, 1988) telle l'analyse de contenu, à des stratégies plus complexes telle l'analyse sémiotique (Manning, 1988). Ces techniques représentent en somme des stratégies générales d'organisation des données qui peuvent nécessiter une étape de codification, de production des sommaires ou de recherche de thèmes intégrateurs. De plus, Miles et Huberman (1984) reprochent la tendance à recourir à des modes narratifs de réduction des données et à négliger les modes visuels (graphique, schéma) de réduction.

3. Choix et application des modes d'analyse

Cette troisième étape conduit à l'interprétation des données. Il s'agit, à partir de trois grands principes d'analyse (Yin, 1984), de dégager des modèles à partir des données préalablement organisées. Le modèle par appariement s'appuie sur la comparaison d'une configuration théorique prédite avec une configuration empirique observée. Le recours à ce mode d'analyse suppose donc le développement au préalable d'un cadre théorique bien articulé. De plus, le choix de la situation à l'étude doit permettre une mise à l'épreuve rigoureuse de la théorie, c'est-à-dire un test simultané d'un ensemble de propositions théoriques interdépendantes.

L'élaboration d'une explication se rapporte à un mode d'analyse essentiellement itératif (Yin, 1984). Le chercheur aborde ces données avec un minimum de formalisation théorique et construit progressivement une explication optimale du phénomène à l'étude. Ce mode d'analyse exige du chercheur une connaissance approfondie des différents courants théoriques susceptibles d'expliquer le phénomène et un retour fréquent sur les données de manière à s'assurer d'une confrontation suffisante des théories avec la réalité empirique.

L'analyse historique ou des séries temporelles consiste à formuler des prédictions sur l'évolution dans le temps d'un phénomène (Yin, 1984). Les prédictions théoriques représentent ici des scénarios d'événements qui devraient expliquer l'évolution observée d'une situation. L'analyse historique peut donc être vue comme un cas particulier d'application d'un modèle par appariement.

Plusieurs modes d'analyse des données qualitatives peuvent être utilisés conjointement dans une même recherche. Il faut s'assurer que les principes d'analyse retenus mènent à l'explication la plus plausible du phénomène à l'étude.

4. Analyse transversale

L'analyse transversale vise essentiellement à vérifier s'il y a réplique des résultats parmi plusieurs cas ou situations. Elle s'ajoute aux étapes précédentes lorsque les données qualitatives recueillies renvoient à plusieurs organisations, situations ou individus. Elle procède par comparaison où chaque situation est analysée de façon séquentielle selon le ou les modes d'analyse décrits précédemment, de manière à saisir si les modèles observés se reproduisent.

Avant de clore cette section, il importe de mentionner certaines procédures utiles pour renforcer la crédibilité des analyses qualitatives. Une première source de validité de ces analyses s'appuie sur l'adéquation du mode d'analyse choisi (*étape 3*) avec les objectifs théoriques poursuivis (il s'agit de construire une explication et non de soumettre à l'épreuve un modèle théorique). Aussi, plus la base empirique est bien construite et détaillée, plus l'analyse qualitative risque de donner lieu à des explications ou à des tests théoriques satisfaisants. Enfin, les conclusions d'une analyse qualitative peuvent être soumises à des informateurs clés de manière à s'assurer de leur véracité ou de leur pertinence. Toutefois, les interprétations théoriques peuvent souvent donner lieu à des oppositions sérieuses de la part de ces informateurs sans que les données à l'appui soient contestables.

b) Analyses quantitatives

Les analyses quantitatives sont très répandues et, de ce fait, leur planification nécessite généralement beaucoup moins d'explications que celle des analyses qualitatives. Toutefois, dans de nombreux cas, les analyses auxquelles doivent être soumises les hypothèses sont tellement complexes qu'il est préférable de demander à des spécialistes en statistique de collaborer à la préparation de cette section. La planification des analyses doit se faire en fonction de chacune des questions ou des hypothèses de recherche. Deux niveaux de complexité peuvent être envisagés lors de la planification des analyses: les analyses descriptives et les analyses liées aux hypothèses.

1. Analyse descriptive

Les analyses descriptives servent à décrire le comportement d'une variable dans une population ou à l'intérieur de sous-populations. Toutes les études utilisant des données quantitatives, quelles que soient les questions ou les hypothèses de recherche, requièrent des analyses descriptives. Les études descriptives sont les seules où la phase d'analyse se limite à l'utilisation de statistiques descriptives telles que la moyenne, la variance, l'établissement de taux, etc. Le consensus qui existe autour de l'estimation et du calcul de ces statistiques fait en sorte qu'il n'est généralement pas nécessaire de les énumérer dans le protocole. Si le chercheur utilise des statistiques descriptives plus complexes, il doit les décrire et justifier ce choix. Par exemple, l'utilisation des techniques d'analyse de séries chronologiques pour décrire l'évolution d'une variable dans le temps devrait être justifiée, tout comme l'utilisation de l'analyse en composante principale pour explorer la structure de covariance entre des indicateurs d'une même variable.

D'une façon générale, cette section du protocole vise à justifier les choix statistiques; plus il s'agit de méthodes statistiques connues, moins il est nécessaire d'inclure des détails techniques et inversement, dans certains cas, il est possible de présenter les équations de base dans une courte annexe technique.

Lorsque cela est pertinent, la section sur les analyses de données peut servir à préciser comment seront traitées les données manquantes, et quelles analyses seront faites pour vérifier qu'aucun biais n'est introduit par la présence de non-répondants. On peut aussi indiquer comment l'équivalence des groupes sera vérifiée dans une étude expérimentale.

Enfin, cette section sert aussi à présenter l'équipement avec lequel seront effectuées les analyses de même que les logiciels qui seront utilisés. Lorsqu'il s'agit de logiciels connus et réputés (par exemple BMDP, SAS, SPSS et, de plus en plus, SYSTAT pour les micro-ordinateurs), il n'est pas nécessaire d'en justifier l'utilisation. Cependant, le chercheur doit justifier l'utilisation de logiciels moins connus ou de logiciels qu'il aura lui-même conçus; leur description peut également faire l'objet d'une courte annexe.

2. Analyses liées aux hypothèses

Chacune des hypothèses formulées dans le cadre conceptuel doit faire l'objet d'une vérification. Lorsque les données recueillies sont de nature quantitative, cette vérification se fait à l'aide d'outils statistiques qui sont planifiés dans cette section du protocole. Toutefois, lorsqu'il s'agit d'analyses effectuées à des fins exploratoires, elles peuvent ne pas être décrites. D'une façon générale, le chercheur doit uniquement décrire, dans le protocole, les analyses qui servent à vérifier les hypothèses.

La nature des hypothèses posées constitue le déterminant premier de la plupart des décisions prises dans la phase de planification. Cela est vrai pour la population étudiée, pour les instruments utilisés et, a fortiori, pour les analyses effectuées. Ce sont en effet les résultats des analyses qui permettent de tirer des conclusions concernant les hypothèses. Par exemple, la vérification d'une hypothèse épidémiologique sur le fait qu'une exposition quelconque constitue un facteur de risque pour une maladie donnée devra nécessairement être conduite à l'aide d'une analyse qui permette l'estimation d'un risque relatif. Dans un autre ordre d'idées, une hypothèse prédisant un changement dans le niveau d'une variable à la suite d'une vraie manipulation expérimentale suggère des analyses comportant des comparaisons entre les moyennes de différents groupes sur la variable dépendante.

La caractéristique importante des hypothèses, qui détermine le choix des analyses, est la présence de plusieurs variables dépendantes interreliées. Lorsque plusieurs variables dépendantes sont présentes sans toutefois être interreliées, elles ne forment pas un réseau et peuvent être vérifiées une à une, par une série d'analyses appropriées, ces dernières étant déterminées par des facteurs décrits plus loin. Il est alors question de stratégies de recherche expérimentale. Lorsque les variables dépendantes sont interreliées et qu'elles forment un réseau ou un modèle, on parle de stratégie de recherche synthétique. Cette stratégie implique que plusieurs hypothèses doivent être testées *simultanément*, ce qui nécessite l'utilisation de techniques de modélisation qui prévoient, autant que possible, un test d'ajustement.

Dans les stratégies de recherche expérimentale, le deuxième déterminant important dans la planification des analyses est le devis de recherche. En règle générale, les devis expérimentaux avec assignation aléatoire requièrent des analyses moins sophistiquées que les devis quasi expérimentaux ou ceux relatifs aux expérimentations invoquées. En effet, dans un devis expérimental, à cause de l'assignation aléatoire des sujets aux différentes valeurs de la variable indépendante, tous les confondants sont théoriquement contrôlés par le devis. Les analyses statistiques se limitent donc à mesurer la performance relative des groupes formés par la variable indépendante et à déterminer si les différences entre les performances sont compatibles avec l'hypothèse selon laquelle les sujets, dans les différents groupes, proviennent de la même population. Autrement dit, puisque l'assignation aléatoire initiale garantit le fait que les sujets de tous les groupes proviennent de la même population, si cette hypothèse initiale peut être rejetée après les manipulations expérimentales, ce changement est généralement interprété comme étant causé par les manipulations. L'approche expérimentale dégage le chercheur de l'obligation d'introduire des variables de contrôle à la phase des analyses. Celles-ci peuvent donc demeurer relativement simples, en incluant seulement un nombre minimal de variables.

La préparation de l'analyse des données dans les études synthétiques peut être très complexe. Il est essentiel de bien montrer comment les données permettront de vérifier simultanément l'ensemble du réseau de relations entre les variables.

Dans les études quasi expérimentales et dans les expérimentations invoquées, le chercheur ne peut postuler que les sujets, composant les différents groupes de la variable indépendante, provenant initialement de la même population. De ce fait, il doit contrôler l'effet d'un certain nombre de variables potentiellement confondantes. Ce contrôle peut se faire soit par le devis (à l'aide de techniques comme le *matching* ou la restriction de la population cible), soit à la phase de l'analyse statistique. Dans ce dernier cas, les analyses doivent être plus sophistiquées, ce qui entraîne généralement l'utilisation de techniques permettant l'estimation des effets de plusieurs variables indépendantes, tout en contrôlant l'effet des variables confondantes. En règle générale, l'utilisation de techniques bivariées comme le T-test ou la corrélation de Pearson dans des situations non expérimentales est déconseillée, sauf évidemment dans une phase préliminaire d'exploration des données qui, d'ailleurs, ne fait pas l'objet d'une planification formelle dans le protocole. Les devis longitudinaux requièrent aussi des analyses particulières, selon le traitement que le chercheur veut faire de l'accumulation de l'information dans le temps. Ces devis entraînent aussi des difficultés d'analyse qui sont spécifiques et pour lesquelles des solutions doivent être planifiées. Les analyses de survie et les analyses à mesures répétées représentent différentes façons d'aborder le problème du temps.

Le troisième et dernier facteur déterminant le choix des analyses est la distribution des variables mesurées, et plus précisément des variables dépendantes. En effet, les statistiques basées sur le modèle linéaire reposent sur le postulat que les variables sont distribuées normalement dans la population. Étant donné qu'à la phase de planification le chercheur ne peut savoir avec certitude quelle sera la distribution de ces variables, ce critère n'est pas tout à fait juste. Il serait en principe plus juste de parler de distribution théorique du concept à mesurer, distribution sur la nature de laquelle le chercheur peut émettre des hypothèses. S'il est raisonnable de penser que le concept théorique se distribue plutôt normalement dans la population (comme dans le cas du stress, de la santé, de la tension artérielle, de l'intelligence, etc.) des statistiques basées sur le modèle linéaire peuvent alors être planifiées. Les statisticiens s'entendent généralement pour dire que ces statistiques peuvent être utilisées même si, dans un échantillon donné, une variable ne se distribue pas tout à fait normalement, pour autant que la notion ainsi mesurée se distribue théoriquement de façon normale. Si la notion mesurée correspond à l'appartenance à une classe (par exemple la réussite ou l'échec, la rechute ou non, être décédé ou vivant), comme c'est souvent le cas en épidémiologie, le modèle linéaire n'est pas conseillé. Les modèles logistiques et loglinéaires doivent alors être envisagés.

Même si les caractéristiques de la stratégie de recherche, du devis et des variables déterminent en grande partie la nature des analyses statistiques qui devront être utilisées, le chercheur dispose quand même d'un assez large éventail d'options. Par exemple, du point de vue des trois facteurs décrits dans cette section, les modes inclusifs, exclusifs et mixtes de la régression multiple hiérarchique sont équivalents. Le choix de l'une ou l'autre technique repose plus sur les préférences du chercheur que sur des motifs méthodologiques. C'est la raison pour laquelle la planification, lors de la préparation du protocole, doit se limiter aux options déterminées par les trois principaux déterminants.

Compte tenu du nombre toujours croissant d'outils statistiques à la disposition des chercheurs, il est tout à fait impossible de présenter ici toutes les techniques et leur cadre d'utilisation. De nombreux chercheurs consultent un statisticien au moment d'effectuer leur choix, ce qui est certainement une bonne solution. Cette consultation sera d'autant plus fructueuse qu'elle sera bien préparée. Les points dont il faudra tenir compte sont les suivants:

- les caractéristiques de la stratégie de recherche;
- le devis;
- les variables mesurées.

Section 8 - ÉCHÉANCIER ET BUDGET

But :	Établir quelle est la contrepartie relativement au temps et à l'argent prévus lors de l'élaboration du projet de recherche, c'est-à-dire préciser toutes les activités requises pour réaliser la recherche, puis déterminer et justifier le temps et les ressources nécessaires à chaque activité
Contenu :	- Préparation de l'échéancier du projet - Établissement du budget
Longueur :	1 à 4 pages (qui généralement ne sont pas incluses dans la description détaillée du projet).

La capacité du chercheur à mener à bien le projet qu'il propose est évaluée non seulement en fonction de sa compétence et de son expérience professionnelle (tel qu'en fait état son curriculum vitae), mais aussi en fonction de la qualité du plan de travail présenté.

a) Échéancier

Il est important que le chercheur identifie clairement dans le protocole chacune des étapes de la recherche (études pilotes ou préliminaires, prétests, enquêtes de faisabilité, formation du personnel, collecte et analyse des données, rédaction du rapport, diffusion des résultats) et qu'il précise le temps nécessaire pour effectuer chacune d'elles.

L'échéancier constitue une description claire du déroulement chronologique de la recherche et des dates de réalisation de chacune des étapes, en tenant compte, le cas échéant, de l'interdépendance et de la simultanéité de certaines d'entre elles (l'utilisation de diagrammes de type P.E.R.T. peut s'avérer une façon très utile de présenter l'échéancier dans le protocole).

Il va sans dire que l'échéancier doit non seulement être clair et réaliste, mais qu'il doit également être cohérent avec le projet de recherche proposé. Il est prudent de prévoir une certaine marge de manœuvre dans le temps consacré à chaque étape de réalisation pour pouvoir faire face aux imprévus. De plus, il est important d'indiquer, pour chacune des étapes de l'échéancier, quelles ressources seront nécessaires. C'est à partir de cette information que le budget est préparé (*Tableau 8.1*).

b) Budget

La partie d'un protocole traitant du budget porte généralement sur deux éléments: les ressources requises pour la réalisation de la recherche et l'identification de leurs sources de financement.

Les coûts prévus pour la réalisation du projet sont ventilés selon leur type: ressources humaines, matériel et équipement. De plus, ils doivent être calculés pour chacune des années de durée du projet.

Le coût des ressources humaines doit faire état du nombre et du type de postes (par exemple un coordonnateur, deux enquêteurs, un programmeur, etc.); pour chaque poste, il est nécessaire d'indiquer le coût des salaires et des avantages sociaux. Dans certains cas, il peut être requis de décrire sommairement les responsabilités de chaque membre de l'équipe qui va travailler au projet. De plus, tout recours à un expert-conseil financé par le projet doit être justifié. La détermination du coût des ressources humaines découle directement de l'échéancier proposé et des ressources requises pour chaque étape de la recherche.

Les coûts rattachés au matériel comprennent, par exemple, l'achat de tests psychométriqes, les agents chimiques, la papeterie, l'imprimerie, la photocopie, etc. Quant aux coûts liés à l'équipement, ils peuvent inclure, par exemple, la location de temps informatique, un appareil de mesure physiologique, etc. Par ailleurs, dans certains cas, le chercheur doit indiquer à l'organisme subventionnaire que le milieu dans lequel il travaille dispose de suffisamment de ressources pour accommoder le personnel de recherche (locaux, ameublement de bureau, téléphone, accès à une bibliothèque, etc.).

Enfin, lorsque l'on prépare un budget, il faut tenir compte des exigences et des directives imposées par chaque organisme subventionnaire relativement au montant maximal admissible de même qu'à l'admissibilité de certaines catégories de dépenses. Bien entendu, il est essentiel que l'on trouve un maximum de cohérence entre la conception méthodologique du projet, l'échéancier et le budget.

TABLEAU 8.1

ÉCHÉANCIER D'UN PROJET DE RECHERCHE

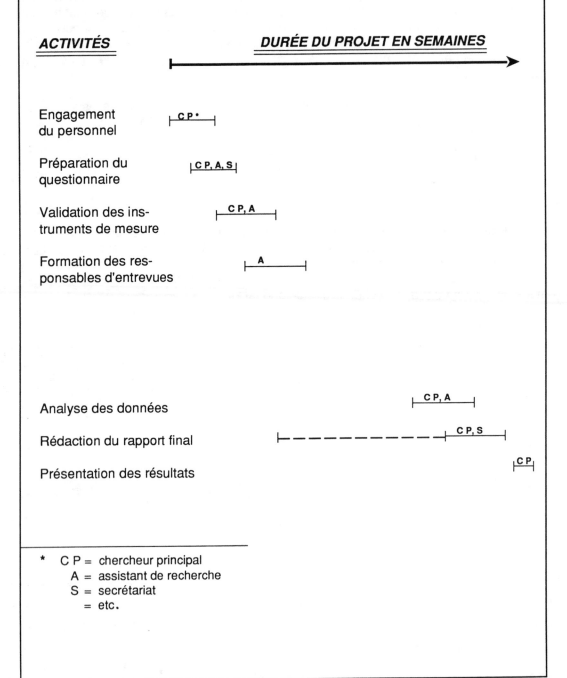

ACTIVITÉS   *DURÉE DU PROJET EN SEMAINES*

Engagement du personnel — C P *

Préparation du questionnaire — C P, A, S

Validation des instruments de mesure — C P, A

Formation des responsables d'entrevues — A

Analyse des données — C P, A

Rédaction du rapport final — C P, S

Présentation des résultats — C P

---

* C P = chercheur principal
   A = assistant de recherche
   S = secrétariat
     = etc.

CHAPITRE *4*

CONCLUSION

Dans la conclusion de son protocole, le chercheur doit insister sur la pertinence et l'utilité de sa recherche. Il doit aussi indiquer comment il compte s'y prendre pour respecter les règles éthiques habituelles.

Section 9 - PERTINENCE DE LA RECHERCHE

But :	Montrer la pertinence des résultats attendus
Contenu :	- Résultats attendus - Degré de généralisation des résultats - Utilité des résultats
Longueur :	1/2 page

Cette section, quoique généralement brève, n'en est pas moins importante. En effet, le chercheur doit tenter de convaincre l'organisme subventionnaire de la pertinence scientifique de la recherche qu'il propose. Pour ce faire, il doit résumer:

- les résultats attendus;
- le degré de généralisation des résultats;
- l'utilité des résultats, compte tenu des objectifs.

a) Résultats attendus

Dans un premier temps, le chercheur doit indiquer, de façon très brève mais claire, les résultats attendus, sans évidemment pouvoir présumer des résultats qui seront effectivement obtenus. Ces résultats peuvent être présentés pour chacun des objectifs du projet.

b) Degré de généralisation des résultats

Il est habituellement souhaitable que le chercheur aborde la question de la portée des résultats attendus en indiquant si ceux-ci pourraient éventuellement s'appliquer à d'autres populations, milieux, contextes ou périodes. Le niveau de généralisation devra évidemment tenir compte notamment de la représentativité de l'échantillon et de la sensibilité statistique prévue. À cet égard, il est souhaitable que le chercheur inclue un résumé clair des limites de l'étude.

c) Utilité des résultats

Le chercheur doit indiquer brièvement quelles seront, d'après lui, les retombées des résultats, compte tenu des objectifs du projet de recherche et, de plus, à qui les résultats pourront être utiles. Par exemple, les retombées d'une étude qui vise à accroître les connaissances de certains facteurs de risque d'un problème de santé peuvent favoriser une meilleure orientation des programmes de prévention primaire.

Par ailleurs, dans le cas d'une étude qui vise à constituer une base de données pour planifier un programme, prendre certaines décisions administratives ou formuler une politique, il est important d'indiquer quels programmes, quelles décisions ou quelles politiques seront touchés et quels en seront les principaux bénéficiaires.

Enfin, dans le cas des recherches évaluatives, il est important d'indiquer les conséquences de la confirmation ou du rejet des hypothèses sur le maintien de l'intervention telle qu'elle a lieu, sur l'établissement de mesures ou réglementation visant à modifier ou à annuler l'intervention, ou sur l'évaluation d'autres aspects du programme.

Section 10 - CONSIDÉRATIONS ÉTHIQUES

But :	Démontrer que toutes les précautions nécessaires ont été prises pour s'assurer que les droits et les libertés des sujets de la recherche seront respectés
Contenu :	- Avantages et risques de la recherche - Consentement éclairé des sujets - Respect de la confidentialité et de l'anonymat
Longueur :	1/2 à 1 page (inclure en plus le certificat de respect des règles d'éthique, lorsque cela est nécessaire)

La recherche fondamentale et, à plus forte raison, la recherche appliquée sur des êtres humains peuvent, dans certains cas, porter atteinte aux droits et libertés de la personne. Il est donc indispensable que le chercheur prenne toutes les dispositions nécessaires pour respecter ces droits et libertés et qu'il réponde aux exigences des organismes subventionnaires à cet égard. Ces derniers exigent généralement que l'on joigne au projet de recherche un certificat de respect des règles d'éthique, qui atteste que le protocole a été approuvé par un comité d'éthique.

La vérification du respect des règles d'éthique est généralement confiée à un comité réunissant au moins:

- un autre chercheur familier avec le domaine de la recherche proposée;
- un spécialiste de la santé mentale ou des sciences humaines, qui devra évaluer la capacité du sujet à comprendre le protocole et à exercer son choix librement;
- un représentant officiel de l'organisme ou de l'établissement auquel est rattaché le chercheur.

Sur ce dernier point, il est en effet souhaitable que les organismes et établissements qui emploient des chercheurs de façon régulière constituent un comité d'éthique permanent. De plus, pour que l'expérience de chacun des membres soit optimale, la composition de ce comité devrait être relativement stable.

Par ailleurs, il peut être important que des membres extérieurs à l'organisme ou à l'établissement du chercheur se joignent au comité d'éthique. Selon la nature de la recherche, ces membres extérieurs pourront être des bioéthiciens, des philosophes, des cliniciens, des théologiens, etc. Plusieurs organismes subventionnaires estiment que les comités d'éthique devraient comprendre au moins un membre venant de l'extérieur.

Pour faciliter le travail du comité sur les droits et libertés de la personne, on demande généralement au chercheur de soumettre une ou plusieurs copies du protocole.

À partir des renseignements fournis, le comité peut exiger que des changements soient apportés au protocole, s'il juge ce dernier préjudiciable aux droits et libertés de la personne. Enfin, en toute conscience, le chercheur est tenu de respecter le protocole qui a été approuvé par le comité d'éthique et de porter à l'attention de ce dernier tous les changements qui pourraient modifier les garanties de respect des droits et libertés de la personne.

Le comité d'éthique et les organismes subventionnaires de recherche se penchent sur les trois questions suivantes, qui doivent être abordées dans le protocole: les avantages et les risques de la recherche, le consentement libre et éclairé des sujets et le respect de l'anonymat ou de la confidentialité.

a) Avantages et risques de la recherche

La réalisation d'un projet de recherche n'est généralement jugée acceptable que si ses avantages sont supérieurs aux risques qu'elle entraîne pour la santé physique et le bien-être psychologique des participants.

Les avantages de la recherche sont évidemment étroitement reliés à sa pertinence scientifique, à sa rigueur méthodologique et à l'importance des résultats attendus. Par ailleurs, le chercheur doit renseigner le comité d'éthique et l'organisme subventionnaire de tout risque connu ou éventuel pour la santé ou le bien-être des participants, inhérent à la réalisation de la recherche proposée. Cette considération sera d'ailleurs essentielle pour bien renseigner les participants éventuels et leur permettre ainsi de donner un consentement éclairé.

b) Consentement libre et éclairé des sujets

Le principe du consentement est au cœur même de la question éthique en recherche. Ce principe, que l'on trouve maintenant inscrit dans diverses lois et règlements (système judiciaire, protection du consommateur, etc.) peut être décomposé en trois éléments:

- la prise de décision éclairée;
- le consentement libre;
- le consentement clairement exprimé.

1. Prise de décision éclairée

Pour qu'ils puissent décider, en toute connaissance de cause, s'ils veulent participer ou non à une recherche, les sujets doivent recevoir suffisamment d'information sur le projet et sur le rôle qu'ils seront appelés à jouer et cela, dans des termes qu'ils peuvent comprendre.

Le protocole de recherche doit normalement inclure une copie de l'information qui sera fournie aux sujets éventuels. Le Conseil des recherches médicales du Canada et d'autres organismes suggèrent que les renseignements suivants soient fournis à chaque sujet:

- la raison d'être de l'étude;

- les techniques de recherche utilisées auprès des sujets (par exemple la *randomisation*) ;

- la raison pour laquelle la participation du sujet est sollicitée;

- les bienfaits et les conséquences de l'étude;

- les risques et les inconvénients prévisibles pour les sujets;

- les mécanismes du respect de la confidentialité;

- la durée de participation des sujets, y compris la possibilité d'une étude de suivi, s'il y a lieu;

- les règles régissant la fin de l'étude et de la participation du sujet;

- le droit du sujet de se retirer en tout temps et sans pénalité.

Les patients dont les soins pourraient être directement touchés par leur participation à une recherche doivent recevoir des renseignements supplémentaires (voir C.R.M., 1987).

Une attention particulière au principe de prise de décision éclairée doit être apportée dans **deux types de recherches** qui posent un problème à cet égard, soit:

> *Les recherches effectuées sur des sujets inaptes au consentement*

Le respect absolu du principe de prise de décision éclairée aurait pour effet d'empêcher, par exemple, toute recherche sur des enfants ou sur des personnes mentalement déficientes. Or, à long terme, cette absence de recherche pourrait entraîner des préjudices graves pour ces personnes. Pour éviter cette situation, tout en respectant le principe de consentement, le chercheur doit solliciter le consentement du tuteur, parent, curateur ou gardien, c'est-à-dire d'une personne dûment reconnue pour agir dans l'intérêt du sujet et à son avantage.

Les recherches utilisant la tromperie

La tromperie consiste à «induire volontairement en erreur les sujets éventuels ou [à] leur cacher des renseignements de façon à les amener à croire que les objectifs de la recherche ou de la façon de procéder sont différents de ce qu'ils sont en réalité» (C.R.M., 1987). Toute tentative visant délibérément à présenter aux sujets des renseignements faux ou incomplets de manière à les induire en erreur est également considérée comme de la tromperie.

Bien que la tromperie puisse être nécessaire dans certains cas, comme dans des recherches sur les comportements, elle constitue une violation flagrante du principe de consentement ou de décision éclairée et ne peut donc être envisagée que dans des cas exceptionnels où la justification scientifique est très forte. Dans de tels cas, il est essentiel qu'à la fin de la recherche, le sujet soit informé complètement et franchement de la nature de la recherche et de sa participation. De plus, il doit être informé des raisons pour lesquelles on a choisi d'avoir recours à la tromperie. Dès lors, le sujet pourra accepter ou refuser que l'information ainsi recueillie soit utilisée. Le chercheur est tenu de respecter cette décision.

2. Consentement libre

Le libre choix de participer ou non à une recherche exige que le chercheur respecte les principes suivants:

- aucune pression, contrainte ou influence indue ne doit être exercée sur le sujet;
- une période raisonnable de réflexion doit être accordée au sujet;
- le sujet doit être informé qu'il est libre de se retirer à son gré.

Le principe de consentement libre repose sur des rapports d'égalité entre le chercheur et le sujet; par conséquent, toute entente où le chercheur est (en raison de sa position ou en raison de conditions particulières au sujet) dans une situation de force relativement au sujet, est considérée comme étant faussée.

Deux problèmes méritent une attention particulière, celui des recherches faites sur des personnes dites captives et celui de la rémunération des sujets.

Les recherches sur les personnes captives

On entend, par personnes captives, les individus vivant une situation de dépendance qui risque de compromettre l'exercice du libre choix. Il peut s'agir par exemple d'un détenu, d'un étudiant (vis-à-vis d'un professeur chercheur), d'un malade (vis-à-vis d'un médecin chercheur), d'un employé (vis-à-vis d'un supérieur), etc.

Une prudence accrue est nécessaire dans de tels cas pour protéger la liberté des personnes. La personne captive doit être clairement informée du fait qu'elle est totalement libre de participer ou non à la recherche, que sa condition et son traitement ne seront en rien modifiés par sa décision et qu'elle peut se retirer à tout moment sans préjudice. Tout consentement doit être donné par écrit. Dans les cas où une inégalité de rapport peut exister entre le chercheur et le sujet (captif), il est suggéré qu'une tierce personne, neutre, soit appelée à recueillir le formulaire de consentement auprès du sujet.

> *La rémunération des sujets*

L'indemnisation des sujets pour les dépenses engendrées par leur participation (frais de transport, de gardiennage, etc.) ou pour les pertes raisonnables, y compris la perte de salaire, est une pratique couramment acceptée. Il est aussi acceptable de verser aux sujets une rémunération modique pour compenser le temps qu'ils consacrent à la recherche ainsi que les inconvénients que cette dernière peut leur causer.

Toutefois, l'indemnisation ou la rémunération ne doit, en aucun cas, constituer une entrave à la liberté de choix mais viser plutôt à faciliter la participation d'un sujet consentant. Une rémunération excessive pourrait notamment amener le sujet à ne plus tenir compte des risques ou pourrait restreindre sa liberté d'abandonner en cours d'expérience; elle constituerait à cet égard une incitation inacceptable. Une prudence particulière quant aux risques déontologiques de la rémunération est indiquée dans les cas de recherches sur des populations captives ou économiquement défavorisées.

3. Consentement clairement exprimé

Le consentement peut être donné oralement ou par écrit. Le consentement écrit a l'avantage de constituer un enregistrement permanent du consentement et de procurer une forme de protection pour le sujet comme pour le chercheur. Plus la participation est exigeante pour le sujet, plus le consentement écrit est recommandé. Le consentement écrit est indispensable dans le cas de recherches pouvant engendrer un risque ou un inconvénient important pour le sujet, de même que dans le cas des recherches sur des populations captives.

Le consentement écrit est consigné sur un formulaire de consentement, qui devrait comprendre les renseignements énumérés à la section concernant la prise de décision éclairée.

4. Recherches sans consentement

Bien qu'il soit contraire à l'éthique de mener des recherches auprès de sujets humains sans leur consentement libre et éclairé, il existe des situations particulières où un tel consentement n'est pas requis, soient:

- les recherches utilisant des données obtenues à l'origine pour d'autres raisons, pourvu que les sujets ne puissent être identifiés nommément;

- les recherches utilisant les dossiers de patients, pourvu que l'on ne se penche pas sur des cas individuels identifiables, que la confidentialité ne soit pas compromise et que les autorisations préalables aient été obtenues de la part des autorités médicales de l'établissement (au Québec, une autorisation du directeur des services professionnels de l'établissement est requise);

- les recherches ayant trait au comportement des sujets en public, dans la mesure où le comportement est spontané, nullement influencé par le chercheur, et que les sujets ne puissent être identifiés;

- les recherches réalisées sur des substrats biologiques humains (échantillons de sang, d'urine, de tissus) prélevés à des fins diagnostiques ou thérapeutiques, pourvu que le patient reste anonyme, et que la recherche n'influence pas le choix des techniques utilisées pour le prélèvement des échantillons.

c) Respect de la confidentialité ou de l'anonymat

Babbie (1986) distingue l'anonymat de la confidentialité. D'après lui, l'anonymat correspond à une situation où le chercheur est incapable d'établir un lien entre des données précises et l'individu auquel elles se rapportent; la confidentialité correspond à une situation où le chercheur peut établir un tel lien, mais s'engage à ne pas le révéler.

La confidentialité et l'anonymat sont des considérations éthiques d'importance capitale dans le domaine de la recherche socio-sanitaire où des données à caractère personnel sont recueillies sur les sujets. Le chercheur est donc tenu d'informer le comité d'éthique des dispositions qu'il entend prendre pour protéger la confidentialité des informations recueillies. Au moment de la diffusion des résultats, le chercheur doit s'assurer que l'identité d'un sujet ne sera jamais dévoilée sans son consentement.

Le chercheur qui dispose de données personnelles doit s'assurer que:

- les données d'identification soient codées le plus tôt possible;

- le nombre d'individus affectés à cette tâche soit réduit au minimum;

- l'équipe de recherche soit la seule à avoir accès à ces données;

- les personnes de l'équipe qui pourront avoir besoin de retracer un sujet soient les seules à pouvoir le faire;

- les données d'identification soient protégées contre le vol, la reproduction, l'interception ou la diffusion accidentelle.

Dans certaines recherches, le chercheur a besoin de conserver les informations en vue d'un suivi à long terme ou de recherches ultérieures. Dans ce cas-là, il doit en informer le sujet.

L'étude de certains problèmes socio-sanitaires (par exemple l'inceste, l'alcoolisme, le suicide, etc.) peut nécessiter un contact avec la famille du sujet, dans le but d'obtenir des renseignements supplémentaires ou de les mettre en garde contre des problèmes éventuels. Dans de tels cas, il ne devrait y avoir aucune communication avec les proches du sujet sans le consentement de ce dernier; une fois ce consentement obtenu, il est préférable que la communication avec la famille se fasse par l'intermédiaire du sujet.

RÉFÉRENCES

CAMPBELL, D.T. «Relabeling Internal and External Validity for Applied Social Scientists», *New Directions for Program Evaluation,* San Francisco (CA), Jossey-Bass, Fall 1986, (31): 67-77.

BATTISTA, R., CONTANDRIOPOULOS, A.P., CHAMPAGNE, F., WILLIAMS, J.I., PINEAULT, R. et P. BOYLE. «Health Related Research : A Conceptual Framework», *Journal of Clinical Epidemiology,* 1989, 42(12): 1155-1160.

CAMPBELL, D.T. et J.C. STANLEY. *Experimental and Quasi-Experimental Designs for Research,* Chicago (Ill), Rand-McWally, 1963.

COOK, T.D. et D.T. CAMPBELL. *Quasi-Experimentation: Design and Analysis for Field Settings,* Boston (MA), Houghton Mifflin, 1979.

FORTIN, M.F., TAGGART, M.E. et D. KEROUAC. *Introduction à la recherche,* Montréal-Décarie, 1988.

KETS DeVRIES, M.F.R. et D. MILLER. «Interpreting Organizational texts», *Journal of Management Studies,* 1987, 24 (3): 233-247.

MANNING, P.K. *Semiatics and Fieldwork,* Beverly Hills (CA), Sage, 1987.

MARK, M.M. «Validity Typologies and the Logic and Practice of Quasi-Experimentation», *New-Directions for Program Evaluation ,* Fall 1986, (31): 47-66.

MARK, M.M. *The Study of Causal Process in Evaluation Research: A Content Analysis,* Paper presented at Evaluation '87, Annual Meeting of the American Evaluation Society, Boston (MA), October 15, 1987.

MILES, M.B. et A.M. HUBERMAN. *Qualitative Data Analysis,* Beverly Hills (CA), Sage, 1984.

O.C.D.E. *La mesure des activités scientifiques et techniques,* Manuel de Frascati, Organisation de coopération et de développement économiques, Paris, 1980.

PFAFFENBERGER, B. *Micro-computer Applications in Qualitative Research,* Beverly Hills (CA), Sage, 1988.

WALLISER, B. *Systèmes et modèles ,* Paris, Seuil, 1977.

YIN, R.K. *Case Study Research,* Beverly Hills (CA), Sage, 1984.

BIBLIOGRAPHIE

RÉFÉRENCES GÉNÉRALES

BABBIE, E. *The Practice of Social Research*, Belmont (CA), Wadswertts, 1989 (5th edition).

FEINSTEIN, A.R. *Clinical Epidemiology*, Philadelphia (PA), 1985.

GRAWITZ, M. *Méthodes des sciences sociales*, Paris, Dalloz, 1984 (6e édition).

KERLINGER, F.N. *Foundations of Behavioral Research*, New York (N.Y.), Holt, Rinehart and Winston, 1986 (3rd edition).

LERNER, M., CHAMPAGNE, F. et A.P. CONTANDRIOPOULOS. *Guide pour la préparation d'un protocole de recherche*, Montréal, Groupe de recherche interdisciplinaire en santé (GRIS), Université de Montréal, 1984.

MIETTINEN, O. *Theoretical Epidemiology*, New York (N.Y.), John Wiley, 1985.

SELLTIZ, C., WRIGHTSWAN, L.S. et S.W. COOK. *Les méthodes de recherche en sciences sociales*, (traduction de D. Bélanger), Montréal, Les éditions HRW, 1977.

SECTION 1

BATTISTA, R., CONTANDRIOPOULOS, A.P., CHAMPAGNE, F., WILLIAMS, J.I., PINEAULT, R. et P. BOYLE. «Health Related Research: A Conceptual Framework», *Journal of Clinical Epidemiology,* 1989, 42(12): 1155-1160.

CHAMPAGNE, F. et A.P. CONTANDRIOPOULOS. *La recherche évaluative en santé* (à paraître).

CHEVRIER, J. «La spécification de la problématique» dans : *Recherche sociale*, de B. Gauthier, Sillery (Québec), Presses de l'Université du Québec, 1984.

CHAMPAGNE, F., CONTANDRIOPOULOS, A.P. et R. PINEAULT. «Health Care Program Evaluation: A Proposed Framework», publié dans: *Health Management Forum*, Summer 1986: 57-65.

SECTION 2

BOISVERT, D. «La recherche documentaire» dans : *Recherche sociale*, de B. Gauthier, Sillery (Québec), Presse de l'Université du Québec, 1984.

COOPER, H.M. *The Integrative Research Review*, Beverly Hills (CA), Sage, 1984.

SECTION 3

COOK, T.D. et D.T. CAMPBELL. *Quasi Experimentation*, Chicago (Ill), Rand McNally, 1979.

POPPER, K. *Conjectures and Refutations*, London, Basic Books, 1962.

ZITO, G.V. *Methodology and Meanings*, New York (N.Y.), Praeger, 1975.

SECTION 4

BERNARD, C. *Introduction à l'étude de la médecine expérimentale*, Paris, Larousse, 1865.

BRINBERG, D. et L.H. KIDDER (eds). *Forms of Validity in Research*, San Fransisco (CA), Jossey-Bass, 1982.

BRINBERG, D. et J.E. MCGRATH. *Validity and the Research Process*, Beverly Hills (CA), Sage, 1985.

CAMPBELL, D.T. et J.C. STANLEY. *Experimental and Quasi-Experimental Designs for Research*, Chicago (Ill), Rand McNally, 1963.

CAMPBELL, D.T. «Degrees of Freedom and the Case Study Research», *Comparative Political Studies*, July 1975, 8 (2): 178-193.

CAMPBELL, D.T. «Relabeling Internal and External Validity for Applied Social Scientists», *New Directions for Program Evaluation*, Fall 1986, (31): 67-77.

COOK, T.D. et D.T. CAMPBELL. *Quasi-Experimentation*, Chicago (Ill), Rand McNally, 1979.

JUDD, C.M. et D.A. KENNY. *Estimating the Effects of Social Interventions*, Cambridge (MA), Cambridge University Press, 1981.

KLEINBAUM, D.G., KUPPER, C.C. et H. MORGENSTERN. *Epidemiological Research*, New York (N.Y.), Van Nostrand, 1982.

MARK, M.M. «Validity Typologies and the Logic and Practice of Quasi Experimentation», *New Directions for Program Evaluation*, Fall 1986, (31): 47-66.

ROTHMAN, K.J. *Modern Epidemiology*, Posters, Little Browns, 1986.

YIN, R.K. *Case Study Research*, Beverly Hills (CA), Sage, 1984.

SECTION 5

KRAEMER, H.C. et S. THIEMANN. *How many Subjects?*, Newbury Park (CA), Sage, 1987.

LEVY, P.S. et S. LEMESHOW. *Sampling for Health Professionals*, Belmont (CA), Lifetime Learning Publications, 1980.

PATTON, M.Q. *Qualitative Evaluation Methods*, Berverly Hills (CA), Sage, 1980.

SUDMAN, S. *Applied Sampling*, New York (N.Y.), Academic Press, 1976.

SECTION 6

ALLEN, M.J. et W.M. YEN. *Introduction to Measurement Theory*, Monterey (CA), Brooks/Cole, 1979.

BOHRNSTEDT, G W. «A Quick Method for Determining the Reliability and Validity of Multiple-Item Scales», *American Sociological Review*, 1969, (34): 542-548.

CAMPBELL, D.T. «Recommendations for APA Test Standards Regarding Construct, Trait or Discriminant Validity», *American Psychologist*, 1960, (15): 546-553.

CARMINES, E.G. et R.A. ZELLER. *Reliability and Validity Assessment*, Beverly Hills (CA), Sage University Paper, (17), 1979.

CRONBACH, L.J. et P.E. MEEHL. «Construct Validity in Psychological Tests», *Psychological Bulletin*, 1955, (52): 281-302.

DILLMAN, D.A. *Mail and Telephone Surveys*, New York (N.Y.), Wiley, 1978.

FLEISS, J.J. «The Measurement of Inter Rater Agreement», *Statistical Methods for Rates and Proportions* (2e édition), New York (N.Y.), Wiley, 1981: 212-236.

LORD, F.M. et M.R. NOVICK. *Statistical Theories of Mental Test Scores*, Reading (MA), Addison-Wesley Publishing Company, 1968.

McDOWELL, I.A. et C. NEWELL. *Measuring Health: A Guide to Rating Scales and Question-naires*, New York (N.Y.), Oxford, 1987.

NUNNALLY, J.C. *Psychometric Theory*, New York (N.Y.), McGraw-Hill, 1978 (2e édition).

SUDMAN, S. et N.M. BRADBURN. *Asking Questions*, San Fransisco (CA), Jossey-Bass, 1982.

WAINER, H. et H.I. BRAUN. *Test Validity*, Hillsdale (N.J), Lawrence Erlbaum Associates, 1988.

WEBB, E.J., CAMPBEL, L D.T., SCHWARTZ, R.D. et L. SECHREST. *Nonreactive Measures in the Social Sciences*, Chicago (III), Rand McWally, 1966.

SECTION 7

BISHOP, Y.M.M., FIENBERG, S.E. et P.W. HOLLAND. *Discrete Multivariate Analysis*, Cambridge (MA), The MIT Press, 1984.

BLALOCK Jr, H.M. *Social Statistics*, New York (N.Y.), McGraw-Hill, 1979 (2e édition).

FERGUSON, G.A. *Statistical Analysis in Psychology and Education*, New York (N.Y.), McGraw Hill, 1976.

FIENBERG, S.E. *The Analysis of Cross-Classified Categorical Data*, Cambridge (MA), The MIT Press, 1989 (2e édition).

HAND, D.J. et C.C. TAYLOR. *Multivariate Analysis of Variance and Repeated Measures*, London, Chapman and Hall, 1987.

KLEINBAUM, D.G. et L.L. KUPPER. *Applied Regression Analysis and other Multivariable Methods*, Boston (MA), Doxbury Press, 1978.

KRIPPENDORFF, K. Content analysis: *An Introduction to its Methodology*, Berverly Hills (CA), Sage, 1980.

LOFLAND, J. *Analyzing Social Settings*, Belmont (CA), Wadsworth Publishing Company Inc., 1971.

MCCLEARY, R. et R.A. HAY Jr. *Applied Time Series Analysis for the Social Sciences*, Beverly Hill (CA), Sage, 1980.

MILES, M.B. et A.M. HUBERMAN. *Qualitative Data Analysis*, Beverly Hills (CA), Sage, 1984.

PATTON, M.Q. *Qualitative Evaluation Methods*, Beverly Hills (CA), Sage, 1980.

PEDHAZUR, E.J. *Multiple Regression in Behavioral Research*, New York (N.Y.), Hott, Rinehart and Winston, 1982.

SNEDECOR, G.W. et W.G. COCHRAN. *Statistical Methods*, Ames (IA), The Iowa State University Press, 1980 (7e édition)

SORIS, W. et H. STRANKHORST. *Causal Modeling in Nonexperimental Research*, Amsterdam, Sociometric Research Foundation, 1984.

STRAUSS, A.L. *Qualitative Analysis for Social Scientist*, Cambridge (MA), Cambridge University Press, 1987.

WINER, B.J. *Statistical Principles in Experimental Design*, New York (N.Y.), McGraw-Hill, 1971, (2e édition).

YIN, R.K. *Case Study Research*, Beverly Hills (CA), Sage, 1984.

MESURE DE LA FIABILITÉ D'UN INSTRUMENT

Il existe plusieurs tests statistiques permettant d'évaluer la fiabilité d'un instrument de mesure selon ses différentes caractéristiques. Cependant, toutes ces statistiques reposent sur une théorie dite classique de la mesure, selon laquelle toute observation X est composée d'un résultat réel et d'une composante d'erreur aléatoire telle que:

$$X_i = X_i^* + e_i \qquad (1)$$

Dans l'équation (1), X_i^* représente la valeur réelle de la caractéristique mesurée. Si la caractéristique mesurée est la tension artérielle, X_i^* représente la valeur réelle de la tension de l'individu i. Par ailleurs, X_i représente la lecture de la tension artérielle faite à l'aide, par exemple, d'un sphygmomanomètre, et e_i représente l'erreur dans la mesure qui peut être due à l'instrument, aux conditions de lecture ou à l'examinateur. On postule généralement que ces erreurs sont aléatoires et donc que les variations de X^* et de e sont indépendantes. Dans ce cas, la variance[1] de X est égale à la somme des variances de X^* et de e :

$$\sigma_x^2 = \sigma_{x^*}^2 + \sigma_e^2 \qquad (2)$$

L'équation (2) signifie que tout classement d'une série d'objets fait à partir de X reflète à la fois l'ordre réel de ces objets sur la caractéristique mesurée ($\sigma_{x^*}^2$) et des différences qui sont aléatoires (σ_e^2). Les différences réelles sont évidemment reproductibles et constantes, alors que les différences aléatoires, par définition, ne peuvent être reproduites que selon des probabilités faibles. Donc, plus la variance réelle σ_x^{2*} est importante en comparaison avec la variance aléatoire σ_e^2, plus X est une mesure fiable de la vraie valeur X^*. Cette relation est formalisée dans la définition de la fiabilité

$$\rho_x = \frac{\sigma_x^{2*}}{\sigma_{x^*}^2 + \sigma_e^2} \qquad (3)$$

L'équation (3) indique que la fiabilité est une proportion qui varie entre 0 et 1

$$0 \leq \rho_x \leq 1{,}0$$

---

[1] On se souvient que la variance est une mesure de dispersion basée sur la moyenne des écarts par rapport à la moyenne:
$$\sigma_x^2 = \frac{\sum_{i=1}^{n}(x_i - \overline{x})^2}{n}$$

L'examen de l'équation (3) permet aussi de constater que plus $\sigma_{\tilde{e}}^2$ est grande en comparaison de $\sigma_{x}^2{}^*$, plus le dénominateur est élevé et plus la fiabilité se rapproche de 0. Inversement, plus $\sigma_{\tilde{e}}^2$ est faible en comparaison à $\sigma_{x}^2{}^*$, plus la fiabilité tend vers 1. Un quotient élevé indique donc une fiabilité forte.

Quoique le dénominateur de l'équation (3) puisse aussi être exprimé sous la forme de σ_x^2 [c.f. équation (2)], la définition de la fiabilité comprend au moins un élément que l'on ne peut observer. En effet, ni le résultat réel, ni l'erreur aléatoire ne sont observables: seul X peut être mesuré. La formule de l'équation (3) ne peut donc être appliquée directement; ses éléments doivent plutôt être estimés. Les différentes formules d'estimation de la fiabilité représentent autant de solutions apportées au problème de l'estimation des composantes de l'équation (3). Il est nettement hors de l'objectif de ce document de présenter tous les estimateurs de la fiabilité, ou même d'en présenter quelques-uns d'une façon détaillée. La présente discussion se limitera à la présentation sommaire des quatre estimateurs les plus souvent utilisés. Auparavant, toutefois, une définition s'impose.

Différents estimateurs de la fiabilité sont donc utilisés, selon qu'il s'agisse d'index ou non, ou selon qu'il s'agisse de variables continues ou de variables catégorielles. Les quatre estimateurs les plus utilisés sont:

- le coefficient de corrélation de Pearson;
- le coefficient alpha de Cronbach;
- le coefficient de corrélation intraclasse;
- le coefficient Kappa de Cohen.

De par sa définition, le concept de fiabilité sous-entend la répétition de l'opération de mesure. Il s'agit en fait de comparer l'ordre obtenu lorsque l'on classe les mêmes objets, à partir d'au moins deux mesures de la même caractéristique. Cette répétition de la mesure peut être soit simultanée comme dans un index, soit obtenue en utilisant des indicateurs X_1 et X_2 légèrement différents, mais pour lesquels on suppose une dépendance des valeurs réelles x_1^* et x_2^*. La répétition peut aussi provenir de l'utilisation du même instrument, après un intervalle donné de temps. Dans le premier cas, il s'agit de l'utilisation d'un index, ou d'une échelle pour laquelle on suppose que la somme est plus fiable que chacun des indicateurs pris isolément. Dans le second cas, il s'agit de mesures répétées. Les mesures x_1 et x_2 sont dites parallèles lorsque les deux postulats suivants sont respectés:

- La valeur réelle de X au temps 2 doit être rigoureusement égale à la valeur réelle de X au temps 1:

$$x_1^* = x_2^*$$

- La fiabilité de l'instrument (tributaire de $\sigma_{\tilde{e}}^2$) doit être la même au temps 1 et au temps 2:

$$\sigma_{\tilde{e}1}^2 = \sigma_{\tilde{e}2}^2$$

Deux mesures X_1 et X_2 qui satisfont à ces deux conditions sont dites parallèles. L'établissement de ces deux postulats permet d'interpréter les différences dans l'ordre obtenu, lors de deux utilisations du même instrument sur les mêmes objets, comme étant dues à l'importance de la variance de l'erreur $\sigma_{\tilde{e}}^2$ par rapport à la variance réelle $\sigma_{x}^2{}^*$.

Puisque des mesures parallèles ont la même variance d'erreur et le même résultat réel, la fiabilité de l'une est donc égale à la fiabilité de l'autre:

$$\rho_{x_1} = \rho_{x_2}$$

a) Le coefficient de corrélation de Pearson

Une corrélation est une mesure d'association entre deux variables. Lorsqu'un même instrument est utilisé deux fois, dans les mêmes conditions, à un intervalle de temps suffi-samment rapproché pour que le postulat de l'invariance des résultats réels soit respecté, on peut assumer que X_1 et X_2, les variables mesurées au temps 1 et au temps 2, sont parallèles. Dans ce cas, et dans ce cas seulement, il peut être démontré que la corrélation entre X_1 et X_2 est égale à la fiabilité de l'une ou l'autre variable:

$$\rho_{x_1 x_2} = \rho_{x_1} = \rho_{x_2}$$

Cependant, si l'un ou l'autre des deux postulats de la définition des mesures parallèles ne peut être respecté, les différences observées entre les distributions de X_1 et de X_2 peuvent alors être attribuées à d'autres facteurs que la non-fiabilité et, dans ce cas, la cor-rélation entre X_1 et X_2 ne peut être un estimateur valide de la fiabilité de l'une ou l'autre mesure. Le coefficient de corrélation ne peut pas être utilisé non plus lorsqu'il y a plus de deux variables dont on veut estimer la fiabilité.

b) Le coefficient alpha de Cronbach

Un index, une échelle, une grille d'observations cumulatives sont tous construits, selon une logique voulant que la somme de plusieurs indicateurs imparfaits d'un même construit soit plus fiable que chacun des indicateurs pris isolément. Cette affirmation qui a intuitivement beaucoup d'attraits peut être illustrée de la façon suivante. Supposons k élé-ments Y_i parallèles entre eux, dont la somme est X. Parce que tous les Y_i sont parallèles, on obtient:

$$Y_1^* = Y_2^* = Y_k^* = Y^* \qquad \text{et} \qquad \sigma_{e_1}^2 = \sigma_{e_2}^2 = \sigma_{e_k}^2 = \sigma_e^2.$$

Donc, si X est un index composé de la somme des éléments Y_i, alors:

$$X = \sum_{i=1}^{k} (Y_i)$$

Donc, par l'équation (1):

$$X = \sum_{i=1}^{k} Y_i^* + \sum_{i=1}^{k} e_i$$

et par l'équation (2):

$$\sigma_x^2 = \sigma^2 \left(\sum_{i=1}^{k} Y_i \right) + \sigma^2 \left(\sum_{i=1}^{k} e_i \right) \qquad (4)$$

Des manipulations algébriques de l'équation (4) résultent en:

$$\sigma_x^2 = k^2 \sigma_{y^*}^2 + k\sigma_e^2 \qquad (5)$$

L'équation (5) montre bien que dans un index composé de la somme de *k* éléments parallèles, le poids relatif de la variance réelle à l'intérieur du résultat observé est le carré du poids relatif de l'erreur aléatoire. Donc, la fiabilité d'une somme d'éléments est plus grande que la fiabilité des éléments pris séparément, lorsque ceux-ci ont une certaine variance commune. Le coefficient alpha de Cronbach sert à estimer la fiabilité d'une somme d'éléments, sans que l'on ait à déterminer la fiabilité des éléments isolés. Le coefficient alpha est fonction principalement des corrélations (sous la forme de covariances $\sigma_{y_i y_j}$) existant entre les éléments de l'index.

$$\alpha = \frac{k}{k-1} \left[1 - \frac{\displaystyle\sum_{i=1}^{k} \sigma_{y_i}^2}{\displaystyle\sum_{\substack{i=1 \\ j=1}}^{k} \sigma_{y_i}^2 + 2\sigma_{y_i y_j}} \right] \qquad (6)$$

$$\text{où } i < j$$

Le dénominateur de la deuxième partie de l'équation (6) est composé de la somme des variances des éléments et de la somme des covariances (analogues aux corrélations) de chaque paire d'éléments. Donc, plus les éléments sont corrélés, plus le dénominateur est grand en comparaison avec le numérateur et plus α est grand.

Le coefficient alpha de Cronbach est non biaisé lorsque tous les éléments comportent la même valeur réelle, même si chacun d'eux comporte une variance d'erreur unique. Par exemple, la somme ou la moyenne des poids obtenue par la pesée des mêmes personnes, dans un intervalle très court (de façon à s'assurer que le poids réel de chaque individu ne change pas) sur des pèse-personnes dont la variance d'erreur varie, résulterait en une évaluation du poids plus fiable que celle fournie par chacun des pèse-personnes. Et le coefficient alpha serait une estimation exacte de la fiabilité de cette somme. Il existe d'autres statistiques analogues au coefficient alpha; cependant, aucune d'entre elles n'a autant de popularité.

c) Le coefficient de corrélation intraclasse

Une observation peut se présenter sous la forme d'une variable continue qui n'est pas formée d'indicateurs multiples, comme la tension artérielle, le glucose sanguin, le pouls, etc. Puisque la mesure n'a pas de connotation de répétition, le coefficient alpha de Cronbach n'est d'aucune utilité pour en évaluer la fiabilité. Pour ce faire, il convient que les mêmes objets soient mesurés au moins deux fois, avec le même instrument, dans les mêmes conditions. Dans le cas très simple où chaque objet n'est mesuré que deux fois, le coefficient de corrélation de Pearson est adéquat. Cependant, pour les devis plus complexes où, par exemple, trois examinateurs mesurent chaque sujet, ou lorsqu'un même examinateur prend plus de deux mesures sur chaque sujet, le coefficient de corrélation intraclasse devient alors la statistique adéquate.

TABLEAU 1

DONNÉES POUR UNE ÉTUDE DE VALIDITÉ PAR L'ANALYSE DE CORRÉLATION INTRACLASSE

Sujets	T1	T2	Tk	Total
S_1	X_{11}	X_{12}	X_{1k}	$X_1.$
S_2	X_{21}	X_{22}	X_{2k}	$X_2.$
S_3	X_{31}	X_{32}	X_{3k}	$X_3.$
$\vdots$	$\vdots$	$\vdots$	$\vdots$	$\vdots$
S_n	X_{n1}	X_{n2}	X_{nk}	$X_n.$
Total	$X._1$	$X._2$	$X._k$	

TABLEAU 2

RÉSUMÉ DE L'ANALYSE DE VARIANCE

Source	d l	SC	CM	E (CM)
Variation inter	N-1	$K \sum\limits_{i=1}^{k} (\overline{X}_i - \overline{X})^2$	CM inter	$\sigma_e^2 + K\sigma_x^{2*}$
Variation intra	N (K-1)	$(K-1) \left(\frac{1}{K-1}\right) \sum\limits_{i=1}^{k} (X_{ij} - \overline{X}_i)^2$	CM intra	σ_e^2
Total	NK-1	$\left(\frac{1}{K-1}\right) \sum\limits_{i=1}^{k} \sum\limits_{j=1}^{n} (X_{ij} - \overline{X}..)^2$		

Le coefficient de corrélation intraclasse peut être utilisé avec des devis relativement simples comme avec des devis très compliqués. Prenons le cas le plus simple, où *n* objets sont mesurés *k* fois. Les données se présentent sous une forme similaire à celle du tableau 1, où deux sources de variation peuvent être observées :

- celle qui existe entre différents moments d'observation pour l'ensemble des sujets;
- celle qui existe pour chaque sujet à travers les *k* mesures.

Les effets de ces deux sources de variation peuvent être estimés et résumés dans un tableau d'analyse de variance, comme illustré au tableau 2. La variation inter provient des différences entre les individus. Elle est calculée selon la formule donnée sous la somme des carrés, et l'espérance (la moyenne si on pouvait avoir un nombre infini d'observations) du carré moyen inter *E* (CM inter) peut être exprimée sous forme de la variance de l'erreur et de la variance du score réel. La variance intra-sujet provient des différences entre les différentes mesures, pour un même sujet. Elle est calculée selon la formule donnée sous la somme des carrés; et l'espérance du carré moyen intra est égale à la variance de l'erreur aléatoire. On peut donc, à partir d'un tableau résumé d'une analyse de variance, estimer chacune des composantes de l'équation (3).

$$\sigma_e^2 = \text{CM intra} \quad \text{et} \quad \sigma_x^2{}^* = \frac{\text{CM inter} - \text{CM intra}}{k}$$

Conséquemment, en remplaçant chaque composante de l'équation (3) par l'expression correspondante, on obtient :

$$\rho_x = \frac{\text{CM inter} - \text{CM intra}}{\text{CM inter} + (k-1)\ \text{CM intra}}$$

Le coefficient de corrélation intraclasse permet donc d'estimer la fiabilité d'un instrument, à partir de *k* observations faites sur les mêmes objets, avec le même instrument.

La figure 1 illustre un cas où le coefficient de corrélation intraclasse serait assez élevé. Pour chaque sujet, la variation des trois mesures est relativement faible, en comparaison avec la variation entre les sujets. L'inverse se produit à la figure 2 pour laquelle on observerait un coefficient de corrélation intraclasse beaucoup plus faible.

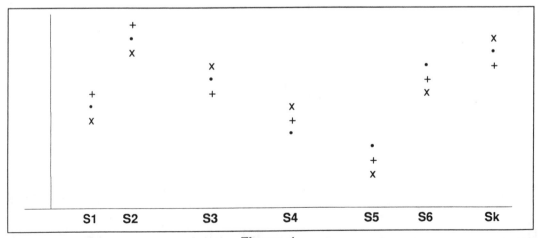

Figure 1

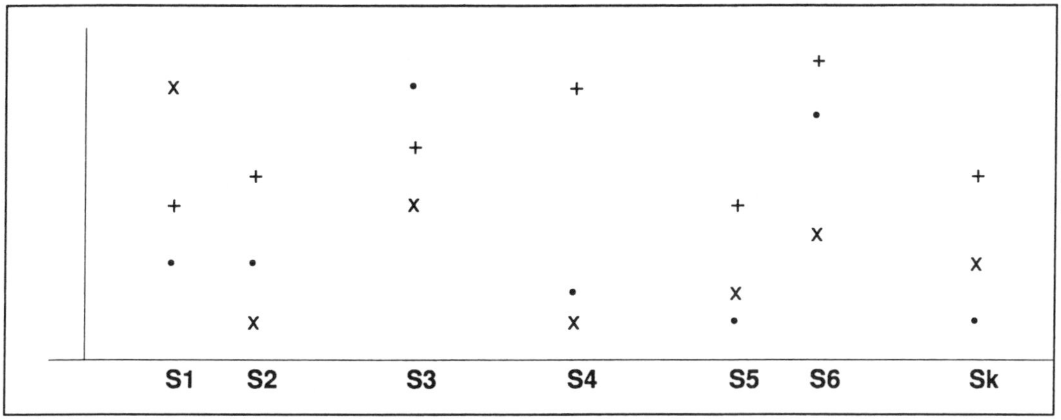

Figure 2

L'exemple d'une série de mesures de provenances différentes est le cas le plus simple du coefficient de corrélation intraclasse. On peut penser à la situation où plusieurs examinateurs prennent chacun une mesure, ou lorsque le même examinateur prend plusieurs mesures. De ces deux possibilités résulte un devis bidimensionnel. On peut aussi imaginer une situation encore plus complexe où plusieurs examinateurs prennent plusieurs mesures dans un devis tridimensionnel. Dans tous ces cas, la logique est la même, la fiabilité d'une mesure est estimée à partir de la décomposition des sources de variation dans une analyse de variance.

d) Le coefficient Kappa de Cohen

La dernière situation que nous allons explorer est celle où une observation ne se présente pas sous une forme composite et où ce résultat unique est catégoriel. Un exemple est le résultat d'un examen clinique où l'examinateur peut déclarer l'examen normal, incertain ou anormal. Encore une fois, pour évaluer la fiabilité de l'examen, il est nécessaire d'avoir deux mesures des mêmes sujets avec le même examen. Dans le cas de deux mesures pour n sujets, alors que le résultat possible est l'une de k catégories, un tableau de contingences de la forme de celui illustré au tableau 3 peut être construit. La diagonale où l'on trouve N_{11}, N_{22}, N_{33},..., N_{kk} représente tous les sujets pour lesquels les deux examinateurs ont eu un accord parfait, alors que tous les éléments hors diagonale représentent une discordance entre les examinateurs. La concordance des deux juges est la somme des éléments de la diagonale sur le nombre total de sujets:

$$\text{Concordance} = \frac{\sum_{i=1}^{k} N_{ii}}{N_{..}} \qquad (7)$$

Cependant, cette mesure de concordance ne tient pas compte que certains accords peuvent être le fruit uniquement du hasard. Le coefficient Kappa de Cohen corrige cette situation en tenant compte du hasard. Notons le résultat de l'équation (7) par C_o (concordance observée), notons aussi par C_a la concordance attendue par le simple effet du hasard. Alors Kappa est le ratio de la différence entre la concordance observée et la concordance attendue sur 1 moins la concordance attendue:

TABLEAU 3

TABLEAU DE CONTINGENCE D'UNE MESURE EFFECTUÉE PAR DEUX EXAMINATEURS

Examinateur 2

		1	2	3 .... κ	
	1	N_{11}	N_{12}	N_{13} .... $N_{1\kappa}$	N_1
Examinateur 1	2	N_{21}	N_{22}	N_{23} .... $N_{2\kappa}$	N_2
	3	N_{31}	N_{32}	N_{33} .... $N_{3\kappa}$	N_3
	.	.	.	. .	.
	.	.	.	. .	.
	.	.	.	. .	.
	κ	$N_{\kappa 1}$	$N_{\kappa 2}$	$N_{\kappa 3}$ .... $N_{\kappa\kappa}$	N_κ
Total		$N._1$	$N._2$	$N._3$ .... $N._\kappa$	$N..$

$$\kappa = \frac{C_o - C_a}{1 - C_a}$$

Parce que κ corrige pour l'effet du hasard, sa variation théorique est différente de celle des autres mesures de fiabilité. En effet, Kappa peut varier de -1 à 1, où -1 indique l'absence totale de concordance, où 0 indique une concordance uniquement attribuable au hasard et où 1 indique une concordance parfaite. Notons, pour finir, que le coefficient Kappa peut aussi être pondéré, pour tenir compte de l'éloignement des désaccords entre les juges.

Ce coefficient est toujours plus grand que κ et est connu sous le nom de *weighted Kappa* ou Kappa pondéré κ_w.

Le coefficient Kappa demeure le même, qu'il s'agisse de mesurer l'accord inter-juge ou l'accord intrajuge. Dans le cas de l'accord interjuge, l'examinateur mesure lui-même les mêmes objets, deux fois, avec le même instrument, et le coefficient Kappa s'interprète de la même façon.

EXEMPLES DE PROTOCOLES

INTRODUCTION

Les trois protocoles de recherche que l'on trouve dans cette annexe doivent être considérés comme des exemples et non comme des modèles. Les commentaires qui les accompagnent montrent d'ailleurs très clairement qu'aucun n'est parfait, et que les plans types ne doivent pas être utilisés de façon rigide. En effet, il existe de très nombreuses formes servant à présenter un protocole de recherche. Il incombe donc au chercheur, selon sa formation, son style et son sujet de recherche, de choisir celle qui lui semble la plus susceptible de convaincre les évaluateurs de la pertinence scientifique et méthodologique de son problème de recherche.

Néanmoins, si dans la forme, de nombreuses variations sont possibles, il est indispensable que tous les éléments énumérés dans le plan type se trouvent dans le protocole. C'est d'ailleurs ce que les évaluateurs tentent de vérifier.

EXEMPLE 1

LA TUBERCULOSE CHEZ LES IMMIGRANTS ASIATIQUES AU QUÉBEC

par

Martine Remondin
Shanaz Rouhani
Malick Sylla
Evelinda Trindade

COMMENTAIRES

LA TUBERCULOSE CHEZ LES IMMIGRANTS ASIATIQUES AU QUÉBEC
---

1. Définition du problème

La problématiqe que voici met en parallèle deux informations de nature différente. D'une part, l'augmentation de l'immigration asiatique et, d'autre part, le fait que les immigrants asiatiques constituent une grande proportion des cas de tuberculose. Ces deux informations établissent la problématique et le contexte de l'étude. L'objectif spécifique est énoncé clairement à la toute fin de la section. On peut noter que cet objectif aurait pu être spécifié d'entrée de jeu et justifié avec la même argumentation par la suite.

2. État des connaissances

Fort heureusement, cette section ne présente pas tout ce qui a été écrit sur la tuberculose. En effet, un choix judicieux a été exercé pour présenter les principales données épidémiologiques concernant la variable dépendante, de même que les principales études mettant en vedette les variables que l'on se propose d'étudier. On peut noter que les auteurs en profitent pour discuter la mesure de la variable dépendante en établissant une distinction entre la maladie et l'infection.

3. Modèle théorique et hypothèses

Le raisonnement décrit correspond tout à fait à ce qui est exposé dans l'état des connaissances. Les auteurs reprennent à leur compte une argumentation citée précédemment. Ils terminent, dans une logique hypothético-déductive, en émettant trois hypothèses qui devraient être vérifiées pour établir la justesse de leur raisonnement. Les hypothèses sont claires et opérationnelles.

4. Stratégie de recherche

Les auteurs proposent une étude cas–témoin et justifient bien ce choix par la faible incidence de la variable dépendante. Toutefois, toutes les particularités du devis doivent être décrites dans la section s'y rapportant. C'est dans cette section que l'on aurait dû parler d'appariement. Selon l'état des connaissances, il aurait été plus prudent que les auteurs prévoient apparier les cas et les témoins, selon la durée de séjour au Québec. La discussion de la validité interne et de la validité externe est un peu courte. De plus, la justification d'apparier pour le sexe, l'âge et le pays d'origine n'est que partielle. Par définition, une variable confondante doit aussi être corrélée avec la ou les variables indépendantes, ce qui n'est pas justifié dans le texte. Un réviseur pourrait qualifier le devis d'*overmatching* .

5. Population à l'étude

La population n'est pas définie d'une façon opérationnelle. Les auteurs auraient dû fournir, en annexe, une liste des pays dont ils considèrent les ressortissants comme étant Asiatiques. C'est dans cette section, et non dans les procédures «échantillonnales», qu'il aurait fallu dire qu'une liste exhaustive des cas peut être constituée à partir du fichier des maladies à déclaration obligatoire. Les auteurs auraient dû souligner aussi que cette méthode d'identification ne permet pas de distinguer entre les cas qui sont une réactivation d'une maladie plus ancienne, et ceux qui sont vraiment des cas incidents. Par contre, les auteurs réussissent bien à convaincre de la nécessité de choisir des témoins infectés dans le cas de leur étude, même s'ils n'expliquent jamais comment ils seront identifiés. Les auteurs ont aussi omis d'indiquer pourquoi la famille devra constituer l'unité de sélection, de façon à empêcher que des cas et des témoins proviennent de la même famille et que la variation des principales variables indépendantes soit moindre. Enfin, les critères d'exclusion et d'inclusion auraient dû être expliqués.

6. Échantillon

Les auteurs auraient pu se contenter de citer Fleiss, sans transcrire l'équation générale.

Les règles d'inclusion fournies dans cette section auraient dû faire partie de la définition de la population. L'explicitation de la procédure aléatoire est nettement superflue. Par contre, la dernière précision apportée, concernant le respect des proportions d'immigrants et de réfugiés dans la sélection des cas, est juste et nécessaire.

7. Définition des variables

Les auteurs devraient préciser qu'ils ne conserveront que les résultats considérés comme positifs.

Ici, les auteurs ont choisi de répartir l'information pour chaque variable en trois sous-sections. Il aurait été moins lourd de donner la définition, la source et la mesure de chaque variable.

8. Analyse des données

Les auteurs prévoient deux séries d'analyses bivariées, une pour chaque variable indépendante. Ils auraient plutôt dû prévoir une analyse multivariée, par régression logistique.

EXPOSÉ

LA TUBERCULOSE CHEZ LES IMMIGRANTS ASIATIQUES AU QUÉBEC

a) Définition du problème à l'étude

La proportion d'immigration asiatique s'est accrue de 2,4 % dans les années 60 à environ 40 % dans les années 80 (1, 2). Certains pays d'Asie ont des taux considérables de morbidité tuberculeuse. Au Québec, en 1985, on notait une concentration des cas, principalement chez les personnes âgées et les immigrants. Ces derniers représentaient 27,5 % des nouveaux cas de tuberculose au Québec (3) et 40,6 % au Canada (4). Par ailleurs, en 1986, 57,7 % des cas de tuberculose chez les immigrants sont survenus chez les Asiatiques (5). Dans la même année, on a dénombré 40 % (855/ 2 145) des cas de tuberculose parmi la population active québécoise (2).

Il n'y a pas eu de baisse notable dans le nombre de décès par tuberculose ces dernières années. En effet, de 1980 à 1984, on a enregistré une baisse moyenne de 2,9 %. De 5 % à 10 % des personnes atteintes de la tuberculose en meurent, bien que la communauté médicale considère qu'il s'agit d'une maladie qui peut être évitée et guérie.

Les immigrants asiatiques ne forment pas une catégorie homogène, quant au niveau socio-économique et à leur statut d'entrée au Canada. Cependant, il semble que personne ne se soit intéressé précisément à la répercussion de ces différences sur l'incidence de la tuberculose. L'objectif de l'étude proposée est d'analyser l'influence du niveau socio-économique et du statut d'immigration sur l'incidence de la tuberculose active chez les «immigrants» asiatiques résidant à Montréal.

b) État des connaissances

1. *Incidence et prévalence de la tuberculose*

Puisqu'il existe une proportion de porteurs muets du bacille de Koch (BK), il est difficile de parler d'incidence de la tuberculose. Habituellement, toutefois, l'incidence est estimée à partir des variations de la prévalence des réactions positives au test cutané tuberculinique. Cette positivité peut être due aussi bien au BK qu'au vaccin constitué à partir du bacille de Calmette-Guérin (BCG) ou qu'à d'autres mycobactéries (universellement distribuées dans les tropiques et régions subtropicales, mais rarement comprises dans la *maladie*) (6).

Pour l'ensemble de la planète, l'incidence de nouvelles infections tuberculeuses paraît décroître depuis 1930. En Alaska, cela a été très bien mis en évidence: de 25 % par an en 1949-1951 à moins de 0,1 % en 1970. Aux États-Unis, l'incidence estimée est actuellement de 10 cas pour 100 000 habitants. Dans le sud de l'Inde et au Nigéria, l'incidence se situait entre 1 % et 2 % par an, en 1960. La fréquence de la *maladie* peut être de 5 % à 10 % chez les nouveaux infectés. En 1964, dans l'État américain de la Georgie, 1 700/100 000 Blancs et 1 200/100 000 Noirs présentaient des signes radiologiques avec ou sans symptômes. Cependant, l'incidence subséquente de nouveaux cas était de 34/100 000 parmi les Blancs et de 111/100 000 parmi les Noirs (7).

L'incidence moyenne calculée entre 1982 et 1983 en Asie a varié énormément d'un pays à l'autre (voir Tableau 1, Annexe 1). Dans les pays en développement, la prévalence et l'incidence des cas bactériologiquement positifs sont très élevées: la prévalence au Nigéria est de 500/100 000 (1971), au sud de l'Inde, de 536/100 000 (1968).

L'incidence de la maladie parmi les infectés est variable:

- 600/100 000/an : parmi les Inuit d'Alaska
-   30/100 000/an : parmi les Danois à Copenhague
- 725/100 000/an : parmi les Inuit du Groenland (8).

En 1986, 2 145 déclarations (taux: 8,4/100 000 habitants) de tuberculose ont été repérées à Statistique Canada, ce qui maintient une tendance légèrement à la baisse (8,5/100 000 en 1985 et 13,7/ 100 000 en 1976). Parmi celles-ci, 1 900 provenaient de nouveaux diagnostics et 245 de réactivations (9). Au Québec, un taux de 7,1/100 000 a été observé pour les nouveaux cas (470/6 626 500 habitants) et 0,5/100 000 chez les réactivés (33/6 626 500). En 1986, parmi les 133 immigrants tuberculeux, 60 étaient des Asiatiques (45,1 %). En guise de comparaison, chez les Amérindiens, la proportion reviendrait à 16,3 % (350/2 145) et chez les Inuit, à 1,07 % (23/2 145) en 1986 (8). En 1986, parmi les immigrants asiatiques tuberculeux, on a noté qu'entre 60 % et 89 % avaient immigré au Canada, depuis 1 à 15 ans. Seuls 25 % de ces malades avaient immigré depuis plus de 15 ans (9). Les tableaux 2, 3 et 4 en annexe fournissent des données récentes sur la prévalence de la tuberculose au Québec.

2. *Tuberculose et pauvreté*

Il ne faut cependant pas confondre infection tuberculeuse et maladie tuberculeuse (10). L'infection est diagnostiquée par l'IDR* à la tuberculine. Une fraction seulement des individus infectés fera, à un moment ou l'autre de leur vie, une tuberculose–maladie. Suivant ainsi les recommandations de Comstock (10), nous ne considérons que les études qui distinguent la maladie de l'infection. Aux États-Unis où la prévalence de la maladie est faible (la situation est semblable au Canada), les risques d'exposition sont peu élevés, et la majorité des cas de tuberculose active proviennent de la réactivation d'une infection latente (11).

Deux études ont montré que certains indicateurs de pauvreté sont corrélés avec l'infection tuberculeuse (12, 13). Outre la gravité de la maladie chez la personne à la source de l'infection, qui demeure le meilleur prédicteur, la promiscuité, mesurée par le nombre de personnes par chambre et le manque de mobilier de maison, était également corrélée avec le risque d'infection. Ces trois facteurs de risque (gravité de la maladie chez la personne à la source de l'infection, promiscuité et manque de mobilier) sont des corollaires de la pauvreté. La gravité de la maladie est associée à la pauvreté du fait que les pauvres consultent, généralement, de façon tardive.

En ce qui concerne le lien entre la pauvreté et les risques de développer la tuberculose–maladie chez les personnes infectées, une étude réalisée aux États-Unis (14) n'a pu montrer que le niveau socio-économique (mesuré par la qualité du logement) constituait un facteur de risque. Une autre étude, portant sur les hommes sans abri dans les grands centres urbains, a montré qu'ils forment un groupe à risque élevé pour la tuberculose (15).

En ce qui concerne l'âge et le taux d'incidence de la tuberculose–maladie, les études transversales montrent que l'incidence augmente avec l'âge (11, 14), alors que des études de cohortes (16) montrent une première élévation de tuberculose durant l'enfance et une deuxième, moins élevée, chez les jeunes adultes. La contradiction apparente pourrait s'expliquer par l'effet de cohorte. Pour ce qui est de l'infection tuberculeuse, l'effet de l'âge sur l'incidence est beaucoup plus difficile à déterminer. La plupart des études montrent que l'incidence de l'infection augmente avec l'âge jusque vers l'âge de 20 ans. Pour les catégories d'âge plus avancé, les résultats sont très divergents (17, 18). Enfin, aussi bien l'incidence de la tuberculose–maladie que la mortalité par tuberculose sont plus faibles, dans le cas des femmes (19, 20).

3. *Tuberculose et immigration*

3.1. *Pays d'origine et durée d'installation*

Dans son enquête menée en Angleterre et au Pays de Galles entre 1965 et 1971 chez les immigrants, la British Thoracic and Tuberculosis Association - BTTA (21) note surtout une augmentation des cas enregistrés chez les immigrants nés en Inde, au Pakistan et dans les pays africains du Commonwealth. L'augmentation est plus importante chez les immigrants venant du Pakistan et de l'Inde. Les taux annuels pour les groupes ethniques originaires du sous-continent indien (Inde, Pakistan, Bangladesh) sont, en 1983, 25 fois plus élevés que ceux de la population blanche (22). Parmi ces immigrants, ceux qui sont arrivés récemment en Angleterre et au Pays de Galles ont des taux plus élevés de tuberculose que ceux qui y vivent depuis plusieurs années.

Dans le même ordre d'idées, Enarson, Ashley et GrzybowkiI (1) ont étudié l'influence de l'immigration sur la morbidité de la tuberculose au Canada. Pour ces auteurs, le taux de morbidité

- varie en fonction du pays d'origine;

- est plus élevé chez les personnes nées en Asie que chez celles nées en Europe du Nord et aux États-Unis;

- est parallèle à celui du pays d'origine, bien que plus faible dans le pays d'accueil.

Pour ces études (1, 21 et 22) menées dans deux pays différents, les auteurs affirment que les immigrants provenant de pays à grande endémicité de tuberculose constituent un groupe à risque. Ces mêmes observations ont aussi été faites par Enarson, Sjogren et Grzybowski (23) dans leur enquête sur les immigrants scandinaves au Canada.

3.2 *Âge et sexe*

Une étude américaine, ayant porté sur une cohorte d'immigrants pendant cinq ans (24), a montré que les immigrants asiatiques présentent les mêmes caractéristiques que les immigrants en général, concernant l'apparition de la tuberculose–maladie:

- les immigrants provenant de pays à grande endémicité sont plus à risque;

- l'incidence de la tuberculose croît avec l'âge;

- les hommes sont plus touchés que les femmes;

- l'incidence varie selon le pays d'Asie d'où viennent les immigrants.

En ce qui concerne la durée d'installation dans le pays d'accueil, ces résultats contredisent ceux de la BTTA. Les résultats de l'enquête de l'Association indiquaient, en effet, une diminution pendant les deux premières années de séjour, une augmentation au cours de la troisième année et une nouvelle diminution par la suite.

c) Modèle théorique et hypothèses

1. Raisonnement de soutien

L'état des connaissances montre des résultats divergents en ce qui concerne la relation entre le niveau socio-économique et l'incidence de la tuberculose active, en partie parce que de nombreuses études n'ont pas distingué la tuberculose active de l'infection tuberculeuse. Or, la pauvreté et les conditions de vie précaires doivent favoriser le développement de la tuberculose active chez les personnes infectées par le BK. Les conditions qui favorisent la promiscuité et la sous-nutrition peuvent être à la base de la transmission d'un grand nombre de bacilles d'une part, et, d'autre part, elles peuvent provoquer une diminution de la résistance de l'organisme aux infections. Ce qui amène les hypothèses suivantes:

- H1:   L'incidence de la tuberculose active chez les Asiatiques infectés augmente quand le niveau socio-économique diminue.

- H2a: L'incidence de la tuberculose active chez les Asiatiques infectés est plus élevée parmi les revendicateurs du statut de réfugié que chez les immigrants.

- H2b: L'incidence de la tuberculose active chez les Asiatiques infectés est plus élevée chez les immigrants que chez les immigrants investisseurs.

Les hypothèses H2a et H2b complètent l'hypothèse H1. Du fait de leurs conditions de vie précaires au Québec, ceux qui revendiquent le statut de réfugié devraient être plus «à risque» de développer la tuberculose active que les immigrants. Par ailleurs, les investisseurs, ayant un niveau socio-économique élevé, devraient représenter un risque moindre.

2. Définitions opérationnelles

- *Asiatique :*
  Personne originaire d'Asie, sans distinction de race, ni de pays d'origine.

- *Revendicateur du statut de réfugié :*
  Personne demandant le statut de réfugié, une fois entrée au Canada.

- *Immigrant :*
  Personne acceptée au pays.

- *Immigrant investisseur :*
  Personne acceptée au pays parce qu'elle apporte des capitaux.

- *Niveau socio-économique* évalué par:
  - le revenu annuel moyen au Québec (après ajustement pour personnes à charge);
  - le nombre d'années d'instruction des personnes considérées dans l'étude;

- le mode de vie (apprécié selon les commodités existantes dans le logement);
- le nombre de personnes par chambre à coucher.

d) Stratégie de recherche

L'étude est de type explicatif et analytique. Elle vise à vérifier les relations entre une variable dépendante, l'incidence de la tuberculose active, et deux variables indépendantes, le niveau socio-économique et le statut d'immigrant.

La stratégie choisie est l'expérimentation invoqué. En effet, les variables naturelles ne sont pas manipulées et il s'agit d'une étude cas–témoins, avec une proportion définie de cas et de témoins. Compte tenu de la rareté de la maladie au Canada, le devis cas–témoins semble approprié.

Les cas et les témoins seront appariés pour l'âge, le sexe et le pays d'origine, étant donné que, comme il a été souligné dans l'état des connaissances, l'incidence de la tuberculose varie selon ces trois variables. Ces variables sont donc des variables de confusion, et le fait de les contrôler diminuera la possibilité de biais. Ainsi, la validité interne sera plus grande. Les témoins seront choisis de façon aléatoire et les cas, de façon exhaustive, pour éviter les biais de sélection.

L'étude est généralisable à une autre population qui se trouverait dans les mêmes conditions (niveau socio-économique, statut d'immigrant et mode de vie).

e) Planification opérationnelle de la recherche

1. Population à l'étude

L'étude porte sur les Asiatiques, sans distinction de sexe ni d'âge, qui ont développé une tuberculose active, diagnostiquée et traitée à Montréal. Les témoins sont choisis parmi les Asiatiques vivant à Montréal et n'ayant jamais développé de tuberculose active, mais ayant été infectés par le BK (infection mise en évidence par une intradermoréaction > 10 mm). L'intérêt de choisir des témoins qui sont infectés est que le stade d'infection est nécessaire au développement de la maladie active. On peut donc essayer d'examiner quels sont les facteurs qui favorisent le développement de la tuberculose–maladie, chez les personnes infectées. Cette étude-ci portera sur le niveau socio-économique et le statut d'immigrant.

2. Échantillon (taille «échantillonnale»)

D'après Fleiss (25; p.41), la taille échantillonnale minimale requise pour chacune des deux populations est la suivante:

$$n_1 = n_2 = \frac{\left(z_{\alpha/2} \times \sqrt{2 \; \overline{P} \; \overline{Q}} \; + \; z_{1-\beta} \sqrt{P_1 Q_1 + P_2 Q_2} \right)^2}{(P_2 - P_1)^2}$$

où n_1 = taille échantillonnale requise pour les cas;
n_2 = taille échantillonnale requise pour les témoins;
p_1 = proportion des cas exposés au facteur de risque étudié;
p_2 = proportion des témoins exposés au facteur de risque étudié;

Q_1 = $1 - P_1$, proportion des cas non exposés au facteur de risque étudié;
Q_2 = $1 - P_2$, proportion des témoins non exposés au facteur de risque étudié.

$$\overline{p} = \frac{P_1 - P_2}{2} \qquad \overline{Q} = 1 - \overline{P}$$

P_2 a été estimé après que l'on ait fait le postulat suivant:

Dans les zones à forte endémicité tuberculeuse, comme il en existe dans les pays asiatiques, toute la population est exposée au risque d'infection. De ce fait, les témoins (Asiatiques infectés) peuvent être représentés par les Asiatiques en général. À Montréal, 31–32 % de la population d'origine asiatique est pauvre (26). Donc P_2 = 0,313.

Selon les hypothèses de travail choisies: P_1 est supérieur à P_2. Selon Fleiss (25; p.35), P_1 peut être estimé ainsi:

$$P_1 = P_2 + (f \times Q_2)$$
f étant spécifié par le chercheur

$$\text{Si} \quad f = 0,25, \text{ alors } P_1 = 0,485$$
$$\alpha \text{ est fixé à } 0,05 \text{ et } \beta \text{ à } 0,20.$$

On obtient alors :

$$n1 = n2 = \frac{(1,96 \sqrt{2 \times 0,399 \times 0,601} + 0,84 \sqrt{(0,485 \times 0,515) + 0,313 \times 0,687})^2}{(-0,172)^2}$$

$$= 125,9$$

Donc la taille échantillonnale minimale pour chacune des populations choisies est de 126 individus. On prendra toutefois un échantillon plus grand, pour que d'éventuels désistements ne puissent influencer les résultats (n_1 = 250). Par ailleurs, les témoins seront appariés aux cas. Le groupe-contrôle devra donc être suffisamment grand pour permettre d'apparier chacun des cas à un témoin similaire, quant aux variables d'appariement (n_2 = 600).

- **Définition des cas:** Tous les Asiatiques tuberculeux actifs soignés à Montréal et entrés au Canada depuis 1985 (ou plus tard), à partir du Fichier des MADO (Maladies à Déclaration Obligatoire).

- **Définition des témoins:** Choisis de façon aléatoire à partir des registres officiels d'immigration et des dossiers de demande du statut de réfugié. On choisira des personnes entrées au Canada en 1985 (ou plus tard) vivant à Montréal, ceci afin qu'ils soient comparables aux cas. La méthode aléatoire choisie consiste à dresser une liste numérotée de tous les Asiatiques répondant aux caractéristiques mentionnées ci-dessus et à procéder à un tirage au hasard.

Ayant deux sources différentes de données (données d'immigration et dossiers de demande de statut de réfugié), on veillera à ce qu'une classe ne soit pas plus représentée dans l'échantillon que dans la population des Asiatiques en général. Pour ce faire, on respectera le pourcentage annuel respectif de ces deux catégories, en fixant la proportion des témoins choisis à partir de chaque source.

Par exemple, 8,3 % des immigrants asiatiques entrés au Canada en 1987 étaient demandeurs du statut de réfugié et, en 1988, la proportion était de 13,8 % (27).

3. Définition opérationnelle des variables

3.1 Variable dépendante

La tuberculose active, dans les cas qui nous occupent, sera identifiée par le diagnostic clinique et paraclinique (radiographies, cultures). Chez les témoins, on s'assurera de l'absence d'antécédents de tuberculose ainsi que de l'absence de vaccination au BCG, et on procédera à une intradermoréaction avec cinq unités de tuberculine, que l'on considérera positive si, à la lecture, le diamètre de l'induration est égal ou supérieur à 10 mm.

3.2 Variable indépendante

- Variables d'appariement: âge, sexe et pays d'origine
- Statut d'immigrant : (pour les définitions, voir le chapitre de formulation des hypothèses)
  - revendicateur du statut de réfugié
  - immigrant
  - immigrant investisseur

- Indicateurs du niveau socio-économique (quatre indicateurs retenus) :
  - revenu annuel, au Québec, par personne
  - nombre d'individus par chambre à coucher
  - nombre d'années de scolarité
  - mode de vie

4. Sources de données

Cas :   Diagnostic de tuberculose = fichier des maladies à déclaration obligatoire

Témoins :   IDR positif = observation directe (absence d'antécédents de tuberculose et de vaccin par le BCG: registres officiels et témoins eux-mêmes).

Variable dépendante :
- Âge, sexe et pays d'origine
  - Pour les cas: Fichiers MADO et malades eux-mêmes
  - Pour les témoins: registres officiels et témoins eux-mêmes.
- Statut d'immigration: registres officiels et sujets eux-mêmes
- Indicateurs du niveau socio-économique: sujets eux-mêmes

Remarque :
Lorsqu'il s'agit d'obtenir des données directement des sujets à l'étude (malades ou témoins), et que ces sujets sont des enfants, c'est la mère ou la personne qui a la garde de l'enfant qui constituera la source de données.

Une des deux variables indépendantes mesurées dans cette étude (statut socio-économique) est multidimensionnelle et qualitative. Elle est opérationnalisée sous forme d'un index unidimensionnel. Pour ce faire, la méthode choisie est celle utilisée par Chapman et Dyerly (12). Quatre indicateurs de niveau socio-économique sont classés sur une échelle numérotée de 1 à 5. Le résultat «1» représente la meilleure situation. Pour chaque individu, on additionne les résultats obtenus, le minimum possible étant «4» et le maximum «20».

Ceux qui obtiennent un résultat total entre «4» et «8» sont classés dans le niveau socio-économique le plus élevé. Les résultats «9» à «14» représentent le niveau moyen, et les résultats «15» à «20», le niveau socio-économique bas.

INDICATEURS DU STATUT SOCIO-ÉCONOMIQUE

1) *Revenu annuel par personne*
(au Québec)

1	=	> 40 000 $
2	=	20 000 - 39 999 $
3	=	10 000 - 19 999 $
4	=	5 000 - 9 999 $
5	=	< 5 000 $

2) *Nombre d'individus par chambre à coucher*
(salon et salle à manger exclus)

1	=	< 1
2	=	1
3	=	2
4	=	3
5	=	> 4

3) *Nombre d'années de scolarité*

1	=	16
2	=	13 - 16
3	=	10 - 12
4	=	7 - 9
5	=	0 - 6

4) *Mode de vie*

1 = voiture récente (moins de 5 ans), téléviseur couleur, magnétoscope, lave-vaisselle, lessiveuse et sécheuse

2 = 4 - 5 des éléments en n° 1
3 = 2 - 3   "
4 = 1   "
5 = 0   "

Remarques :

- Le nombre d'années de scolarité des enfants sera calculé par la moyenne de celles de leur père et de leur mère;

- Dans la rubrique «mode de vie», la lessiveuse et la sécheuse peuvent se trouver soit dans le logement, soit dans l'immeuble;

- Le revenu annuel par personne est calculé ainsi:

$$\frac{\text{Revenus de la famille}}{\text{Nombre de personnes à charge}} \; ;$$

- Le nombre d'individus par chambre à coucher est calculé ainsi:

$$\frac{\text{Nombre de personnes vivant dans le logement}}{\text{Nombre de chambres à coucher}} \; .$$

5. *Méthodes de collecte de données*

Nos données seront recueillies de deux façons, à savoir:

- à l'aide de documents existants: Fichiers MADO, registres officiels d'immigration;

- par des entrevues structurées auprès des cas et des témoins échantillonnés. Le question-naire leur sera soumis par des responsables d'entrevues venant du même pays qu'eux.

6. *Qualité des données*

La validation du questionnaire sera assurée par un prétest et par l'entraînement des respon-sables d'entrevues. Pour augmenter la précision du diagnostic de tuberculose active, on n'utilisera que des radiographies lues par des radiologues qualifiés au Canada. Le fait d'employer deux procédures fiables de collecte de données augmente la qualité de celles-ci et permet de vérifier la validité des informations obtenues.

7. *Organisation des données*

L'organisation des données se fera sous forme de tableaux de données appariées pour étude cas–témoins. Le type de tableau employé sera valable pour les deux expositions étudiées, à tour de rôle. On emploiera la notation suivante :

a) pour le statut d'immigrant
b) pour le niveau socio-économique

TÉMOINS (a ou b)

Proportions

Cas (a ou b)		NE	E_1	E_2	TOTAL
	NE	P_{11}	P_{12}	P_{13}	$P_1.$
	E_1	P_{21}	P_{22}	P_{23}	$P_2.$
	E_2	P_{31}	P_{32}	P_{33}	$P_3.$
	TOTAL	$P._1$	$P._2$	$P._3$	1

$NE=$ non exposés :
    a) investisseurs
    b) niveau élevé

$E_1 =$ niveau d'exposition 1:
    a) immigrants
    b) niveau moyen

$E_2 =$ niveau d'exposition 2 :
    a) revendicateur du statut de réfugié
    b) niveau bas

---

8. *Interprétation*

L'analyse des données sera effectuée sur micro-ordinateur à l'aide d'un logiciel SPSS (Nie, 28). Le point de départ sera l'hypothèse nulle d'homogénéité marginale qui postule que:

$$H_0 : \quad P_{1\cdot} = P_{\cdot 1}$$
$$P_{2\cdot} = P_{\cdot 2}$$
$$P_{3\cdot} = P_{\cdot 3}$$

Hypothèse qui sera testée par le χ^2 de Bowker [Fleiss (25), p.120].

Si l'hypothèse nulle est rejetée, cela veut dire que les cas diffèrent des témoins, quant aux niveaux d'exposition. Dans cette situation, on continuera l'analyse en agrégeant deux catégories d'exposition en une pour obtenir un tableau 2 x 2. La statistique χ^2 utilisée est alors celle de McNemar [Fleiss (25), p. 114 et 121]. Donc, dans le cas de χ^2 significatifs, on vérifiera les hypothèses de recherche.

9. Considérations éthiques

9.1 Autorisations requises

Celle du ministère de la Santé et des Services sociaux du Québec et celle de l'Emploi et Immigration Canada.

9.2 Consentement et respect des sujets

Le libre consentement des sujets sera respecté de même que l'anonymat des informations recueillies auprès d'eux.

f) Échéancier

On prévoit que 15 mois seront nécessaires pour les étapes suivantes:

1. Élaboration du questionnaire et du prétest	Étapes
2. Entraînement des responsables d'entrevues	en parallèle
3. Autorisations	(3 mois)
4. Recherche des dossiers des cas et des témoins	2 "
5. Contact des personnes: entrevues	5 "
6. Analyse	2 "
7. Rédaction du rapport	3 "
(voir Annexe V)	

g) Discussion des résultats attendus

On s'attend à trouver une incidence de tuberculose active plus élevée chez deux catégories d'individus: les personnes de niveau socio-économique bas et les revendicateurs du statut de réfugié.

Pour terminer, il ne sera peut-être pas possible de généraliser les résultats à d'autres cultures. Néanmoins, cette étude pourrait aider les décideurs en santé communautaire à prendre des mesures préventives, visant précisément les groupes à risque similaires à ceux déjà identifiés.

BIBLIOGRAPHIE

1. ENARSON, D. *et al. Tuberculosis in Immigrants to Canada*, Am. Rev. Res. Dis., 1979, (119): 11-18.

2. MINISTÈRE DE L'IMMIGRATION DU CANADA. *Statistiques annuelles d'immigration* , Ottawa, 1987.

3. MINISTÈRE DE LA SANTÉ ET DES SERVICES SOCIAUX. Gouvernement du Québec, *Tuberculose: rapport annuel 1985,* Québec, 1986.

4. *La tuberculose au Canada, 1985* , Can. Dis. Wkly. Rep., 1986, (12): 225-226.

5. BUREAU DES STATISTIQUES. *Statistiques de la tuberculose 1986* , Catalogue: 82-212, Ottawa.

6. "Guidelines for the Investigation and Management of Tuberculosis Contacts", *American Revue of Respiratory Disease,* 1976, (113): 459.

7. *WHO Annual Statistics,* "Tuberculosis Statistics", Geneva, 1984.

8. RENAUD, L. (Rapport préliminaire) : *La lutte anti-tuberculeuse chez les Indiens Cris de la Baie-James de 1980 à 1983,* DSC de l'Hôpital général de Montréal - Module du Nord, 1986.

9. STATISTIQUE CANADA. *Tuberculosis Statistics: Morbidity and Mortality,* 1986, Catalogue 82: 212.

10. COMSTOCK, G.W. "Frost Revisited: The Modern Epidemiology of Tuberculosis", *American Journal of Epidemiology* , 1975, 101 (5): 363-382.

11. FRASER, L.S. "The Current Status of Tuberculosis Control Effort", *American Revue of Respiratory Disease,* 1985, (134): 402-407.

12. CHAPMAN, J.S. et M.D. DYERLY. "Social and Other Factors in Intrafamilial Transmission of Tuberculosis", *American Revue of Respiratory Disease,* 1964, (90): 48-60.

13. LONDON, R.G., WILLIAMSON, J. et J.M. JOHNSON. "An Analysis of 3 485 Tuberculosis Contacts in the City of Edinburgh during 1954-55", *Am. Rev. Tuberc.,* 1958, (77): 623-643.

14. COMSTOCK, G.W. et C.E. PALMER. "Long-Term Results of BCG Vaccination in the Southern United States", *American Revue Respiratory Disease,* 1986, (93): 171-183.

15. CHAVES, A.D., ROBINS, A.B. et H. ABELES. "Tuberculosis Cases, Finding among Homeless Man in New York City", *American Revue of Respiratory Disease,* 1961, (94): 900.

16. COMSTOCK, G.W., LIVESAY, U.T. et S.F. WOOLPERT. "The Prognosis of a Positive Tuberculin Reaction in Childhood and Adolescence", *American Journal of Epidemiology,* 1974, (99): 131-138.

17. RAJ NARAIN NAIR, S.S., CHANDRASEKHAR, P. et R.G. RAMANATHA. "Problems Associated with Estimating the Incidene of Tuberculosis Infection", *Bull. WHO*, 1966, (34): 605.

18. SUTHERLAND, I. et P.M. FAYERS. "The Association of the Risk of Tuberculous Infection", *Bull. Int. Union Tuberc.*, 1975, (50): 70.

19. TUBERCULOSIS CONTROL DIVISION, Centers for Disease Control, Department of Health, Education and Welfare, 1980.

20. LOWELL, A.M., EDWARDS, L.B. et C.E. PALMER. *Tuberculosis*, Cambridge: Harvard University Press, 1969.

21. BRITISH THORACIC AND TUBERCULOSIS ASSOCIATION (BTTA). "Tuberculosis among Immigrants Related to Length of Residence in England and Wales", *British Medical Journal*, 1975, (3): 698-699.

22. GODUE, Charles D., GOGGIN, P. et T. GYORKOS. "L'allergie tuberculinigne chez les revendicateurs du statut de réfugié nouvellement arrivés au Canada", *American Review of Respiratory Disease*, 1979, (119).

23. ENARSON, D., SJORGREN, I. et S. GRZYBOWSKI. "Incidence of Tuberculosis among Scandinavian Immigrants in Canada", *Enr. J. Respir. Dis.*, 1980, (61): 139-142.

24. NOLAN, C.M. et A.M. ELARTH. "Tuberculosis in a Cohort of Southeast Asian Refugees: A Five-Year Surveillance Study", *American Revue of Respiratory Disease*, 1988, (137): 805-809.

25. FLEISS, J.C. *Statistical Methods for Rates and Proportions*, 2e édition, John Wiley & Sons, 1981.

26. WILKINS, RUSSELL. *Données sur la pauvreté dans la région métropolitaine de Montréal, (recensement 81)*, Département de santé communautaire, Hôpital général de Montréal, Montréal, 18 juin 1985.

27. EMPLOI ET IMMIGRATION CANADA. *Rapport annuel*, 1985-86, 42.

28. NIE, N. H., HULL, C.H., JENKINS, J.G. *et al. SPSS: Statistical Package for the Social Sciences*, 2e édition, Mc Graw, 1975, (7).

29. *MMWR* , 1986, 35 (45).

TABLEAU 1

INCIDENCE MOYENNE DE LA TUBERCULOSE CALCULÉE ENTRE 1982 ET 1983 POUR CERTAINS PAYS D'ASIE

Pays	Incidence moyenne / 100 000 habitants
Indonésie	24,02
Malaisie	52,40
Japon	55,84
Singapour	77,80
Inde	113,40
Philippines	118,90
Hong Kong	141,67
Cambodge	230,95
Macao	320,28

TABLEAU 2

TAUX DE PRÉVALENCE DE LA TUBERCULOSE PAR 100 000 HABITANTS, PAR ÂGE ET PAR SEXE, POUR 1986, AU QUÉBEC (CANADA)

Âge	Hommes		Femmes	
0 - 4 ans	4,1	(6,6)	5,1	(3,3)
5 - 14 ans	2,0	(0,9)	2,4	(0,9)
15 - 24 ans	5,3	(4,1)	5,2	(3,9)
25 - 34 ans	7,1	(5,4)	5,3	(4,1)
35 - 44 ans	8,9	(6,7)	5,4	(4,4)
45 - 54 ans	11,4	(12,0)	7,4	(6,0)
55 - 64 ans	16,7	(17,1)	8,9	(9,5)
65 - 74 ans	29,0	(31,5)	9,9	(10,8)
75 ans et plus	38,6	(33,8)	22,1	(22,5)
TOTAL TOUS ÂGES	9,7	(9,0)	7,9	(6,3)

TABLEAU 3

PRÉVALENCE DE TUBERCULOSE PARMI LA POPULATION EN ÂGE DE TRAVAIL ET DE REPRODUCTION AU QUÉBEC (CANADA) EN 1986

ÂGE	HOMMES		FEMMES	
	Prévalence		*Prévalence*	
25 - 34 ans	173/2 270 600	(40/612 200)	179/2 296 200	(44/616 600)
35 - 44 ans	164/1 833 900	(33/494 100)	98/1 825 800	(22/498 000)
45 - 54 ans	146/1 283 800	(41/340 500)	95/ 277 400	(21/349 900)
TOTAL	483/5 398 300	(113/1 446 800)	372/5 399 400	(87/1 464 500)
TAUX	8,94/100 000	(7,87/100 000)	6,88/100 000	(5,94/100 000)

TABLEAU 4

DISTRIBUTION, AU CANADA, PAR ANNÉE D'IMMIGRATION, DES 499 IMMIGRANTS ASIATIQUES AVEC DIAGNOSTIC DE TUBERCULOSE EN 1986

Année d'immigration	Nombre d'immigrants Tb+	Nombre total d'immigrants Tb+	Proportion (%) d'immigrants asiatiques
1986	57	86	66,2 %
1985	53	84	63,1 %
1984	38	48	79,1 %
1983	33	41	80,5 %
1982	37	55	67,3 %
1981	47	55	89,1 %
1980	49	62	79,0 %
1979	38	49	77,5 %
1978	6	19	31,6 %
1977	15	18	83,3 %
1976	19	27	70,4 %
1971 à 1975	43	71	60,6 %
1970 et avant	64	250	
TOTAL	499	865	

EXEMPLE 2

ÉVALUATION DES EFFETS D'UNE PSYCHOTHÉRAPIE DE GROUPE SUR DES PATIENTS *BORDERLINES*

par

Jean Goulet
Claire Robitaille

COMMENTAIRES

ÉVALUATION DES EFFETS D'UNE PSYCHOTHÉRAPIE DE GROUPE SUR DES PATIENTS *BORDERLINES*

1. Présentation du projet

Le projet consiste en une étude expérimentale (essai clinique *randomisé*) visant à évaluer l'effet d'une psychothérapie de groupe sur le devenir de patients *borderlines*. Les participants sont recrutés parmi les patients suivis en clinique externe de psychiatrie et sont répartis par une procédure aléatoire en trois groupes (expérimental et témoins 1 et 2). La difficulté principale de cette étude réside dans la définition du contenu du traitement, c'est-à-dire dans la capacité à définir et à mesurer les ingrédients actifs de la psychothérapie de groupe. Ce problème peut limiter fortement la généralisation des résultats de cette étude, s'il n'est pas résolu de façon satisfaisante.

2. Problème de recherche

L'exposé du problème de recherche est adéquat. La description du contenu de l'intervention (psychothérapie de groupe) est cependant peu précise. Les auteurs insistent plus sur les modalités d'application du traitement que sur son contenu particulier.

3. État des connaissances

Cette section fait bien ressortir l'utilité d'évaluer ce type d'intervention, en se référant aux lacunes des études déjà réalisées dans ce domaine et aux incertitudes cliniques entourant les thérapies de groupe chez les patients *borderlines*. Elle présente aussi les instruments pouvant servir à la mesure des variables d'effet et de traitement, ce qui rassure le lecteur sur la faisabilité méthodologique de l'étude.

4. Modèle théorique et hypothèses

Les hypothèses découlent logiquement de l'état des connaissances. Un schéma représentant l'ensemble des variables de traitement, des variables intermédiaires (caractéristiques socio-démographiques des patients) et d'effet faciliterait la compréhension du modèle théorique sur lequel repose l'étude.

5. Stratégie de recherche

La présentation de la stratégie de recherche est claire. L'analyse de la fonction des différents groupes dans le devis expérimental proposé démontre une bonne compréhension de cette stratégie.

6. Population à l'étude, définition des variables et collecte des données

Les sections **f) 2** et **f) 3** présentent clairement les sources et les types de données recueillies ainsi que les instruments utilisés. La discussion sur la qualité des mesures (**f) 4**) est faible; elle reste imprécise sur les stratégies qui seront adoptées pour s'assurer de leur fiabilité et de leur validité. Toutefois, l'état des connaissances donne une appréciation théorique de ces instruments, à la lumière des travaux antérieurs. Enfin, la description de l'étude préliminaire est peu détaillée, même si elle semble importante et nécessaire avant d'entreprendre l'étude principale.

7. Analyse des données

La section **i)** sur l'analyse des données est succincte. Il est difficile de comprendre comment la procédure Anova, à un facteur, permettra de tenir compte de l'influence des variables intermédiaires, décrites à la section **f) 2.2**. À cette étape du protocole, il peut être utile de consulter un statisticien pour choisir un plan d'analyse sommaire et mieux justifié.

EXPOSÉ

ÉVALUATION DES EFFETS D'UNE PSYCHOTHÉRAPIE DE GROUPE SUR DES SUJETS *BORDERLINES*

---

a) Historique

Les auteurs sont deux cliniciens (médecin résident et ergothérapeute), qui travaillent dans le domaine de la psychiatrie. Ce projet de recherche est hypothétique. Toutefois, il est à espérer qu'il pourra servir de base à la mise en place et à l'évaluation d'un programme de psychothérapie de groupe pour patients *borderlines* .

Les patients ayant un trouble de la personnalité de type *borderline* (ou personnalité limite) sont sûrement parmi les plus problématiques. Leur extrême instabilité et les réactions émotives importantes qu'ils suscitent chez les thérapeutes rendent la prise en charge et l'évaluation de leur évolution très difficiles.

1. *Étapes préalables*

La recherche principale devra être précédée d'une étude préliminaire (voir section **f) 5**).

2. *Objet de la recherche*

L'objet de cette recherche est essentiellement d'évaluer l'effet d'une psychothérapie de groupe sur le devenir de patients *borderlines* .

b) Problème de recherche

1. *Situation problématique*

Les théories psychodynamiques qui cherchent à expliquer la personnalité *borderline* peuvent conduire à des conclusions contradictoires concernant l'indication de psychothérapie de groupe chez ces patients. Cette recherche pourrait aider à clarifier ces contradictions.

Par ailleurs, plusieurs auteurs croient que certaines perturbations de la constellation intrapsychique du sujet *borderline* peuvent être résolues de façon plus adéquate en psychothérapie individuelle, alors que d'autres le seraient davantage en psychothérapie de groupe.

La modalité thérapeutique la plus largement acceptée est la psychothérapie individuelle. Mais dans la réalité, on retrouve un grand nombre de ces patients en thérapie de groupe. Pourtant, peu de recherches sont venues corroborer ou infirmer la validité de l'hypothèse selon laquelle une psychothérapie de groupe contribuerait à l'amélioration de la condition mentale du sujet *borderline*.

2. Programme

Les sujets seront échantillonnés à partir d'une population de volontaires, suivis en clinique externe de psychiatrie et ayant un diagnostic principal de trouble de personnalité *borderline*, selon les critères du DSM III-R et du Diagnostic Interview for Borderline (DIB). Tous les sujets participant à cette recherche auront, comme traitement de base, une psychothérapie individuelle.

Le programme expérimental consistera en un groupe de psychothérapie exploratoire. On considère ici que l'ingrédient actif de l'intervention est l'interaction entre les membres du groupe dans l'effort de compréhension de la dynamique personnelle et relationnelle de chacun.

On cherchera à isoler l'ingrédient actif, en formant un groupe de type occupationnel qui constituera le premier groupe-témoin. Le deuxième groupe-témoin sera constitué de sujets qui ne suivront qu'une thérapie individuelle (la liste d'attente pour une thérapie de groupe).

L'objectif ultime du programme sera l'amélioration de l'état de santé mentale. Les mesures des variables dépendantes seront obtenues par des entrevues semi-structurées indépendantes, par des questionnaires auto-administrés et par la revue des dossiers médicaux, de façon à quantifier le niveau d'amélioration et à le comparer aux groupes-témoins.

c) État des connaissances

1. Travaux reliés au sujet

Plusieurs états des connaissances suggèrent de façon assez claire que la thérapie de groupe peut avoir un effet positif sur le devenir des patients en général, c'est-à-dire sans égard au diagnostic posé sur ces patients (1-10).

En examinant l'ouvrage le plus récent (1), on remarque que les auteurs n'ont retenu que 17 des 477 articles répertoriés portant sur le sujet, les autres ne satisfaisant pas aux critères minimaux de recherche expérimentale (études de cas, failles méthodologiques importantes). De ces 17 études, neuf portent sur l'efficacité de diverses thérapies de groupe, sans égard au caractère propre de différentes variables de traitement, et sept d'entre elles (dont celle de Piper, Debbane et Garant (11), considérée par Bednar et Kaul (1) comme étant la mieux construite sur le plan méthodologique) concluent que la thérapie de groupe a un effet positif sur le devenir des patients. Malgré l'appui considérable que ces études apportent à l'idée de l'efficacité de la thérapie de groupe, il est difficile d'isoler les variables responsables de l'effet positif de la thérapie.

L'approche en psychothérapie de groupe chez les patients *borderlines* est essentiellement psychodynamique. Le traitement de groupe pour ces patients est d'abord apparu comme un complément à la thérapie individuelle qui, jusqu'à présent, reste le standard thérapeutique (89-90). L'état des connaissances est composé de plusieurs textes théoriques (12-31). Globalement, la psychothérapie de groupe pour ces patients y est considérée comme utile, voire même comme un traitement de choix (19, 22, 32, 33). Par contre, certains croient que les groupes sont contre-indiqués (14) et d'autres trouvent que les évidences en sont limitées (34).

En plus des écrits théoriques, il existe un bon nombre d'études descriptives (32-53). Dans l'ensemble, ces auteurs voient plusieurs avantages (pas toujours les mêmes) à la psychothérapie de groupe avec ces patients et rapportent des résultats encourageants mais strictement qualitatifs.

Les données expérimentales évaluatives sont à peu près inexistantes. Seules trois études s'inscrivent dans un effort de recherche quantitative. Pour ce qui est de Macaskill (54), il ne s'agit pas d'une recherche évaluative mais d'une étude des facteurs thérapeutiques, ce qui est donc peu relié à notre sujet.

Nurenberg (55) publie un résumé de sa thèse concernant le devenir de patientes à la suite d'une psychothérapie de groupe. Treize adolescentes *borderlines* de 14 à 19 ans (critères diagnostiques non spécifiés) déjà engagées en *wilderness therapy* ont été testées deux fois à dix mois d'intervalle. Il n'y a pas de groupe-témoin et différentes échelles sont administrées. Les résultats amènent à penser que les adolescentes perçoivent une amélioration pour la plupart des dimensions évaluées. Le résumé permet difficilement d'évaluer de façon satisfaisante la validité de ces résultats. Quant à l'important problème de la mortalité précoce (56, 57) ainsi que les biais possibles d'histoire, de maturation, de *testing* et d'instrumentation, ils ne sont pas contrôlés. De plus, considérées dans leur ensemble, les variables dépendantes restent subjectives.

Pour leur part, Kretch *et al.* (58) évaluent les changements de fonctions du moi (*Bellak Ego Functions Assessment Scale*) chez des patients *borderlines* (selon le DSM III) par comparaison à des névrotiques. Il s'agissait de patients qui étaient en thérapie depuis deux ans dans 95 % des cas. Il ont été évalués à ce moment, puis un an plus tard. Les fonctions du moi se sont améliorées de façon significative chez les patients *borderlines* et névrotiques qui ont suivi la thérapie individuelle, mais seulement, et de façon marquée, chez les patients *borderlines* qui ont suivi la thérapie de groupe. Il faut toutefois mentionner que les sujets *borderlines* avaient des résultats significativement moins bons au départ, que le taux de mortalité était nettement plus élevé dans ce groupe, et que les caractéristiques des sujets perdus ne sont pas mentionnées. Finalement, la variable dépendante unique ne permet pas une évaluation multidimensionnelle des effets du traitement tel qu'il est recommandé (57, 92). Ces évidences, bien qu'étant préliminaires et partielles, sont les meilleures qu'on puisse trouver dans les écrits sur le sujet.

Les données expérimentales ne permettent pas de préciser quel type de groupe est plus adéquat pour répondre aux besoins des patients *borderlines*. Cela ouvre le champ à plusieurs débats théoriques. Sur le plan diagnostique, certains croient que les groupes hétérogènes sont préférables (12, 31, 38, 53), alors que d'autres sont en faveur de groupes homogènes (26, 47, 48, 50). Cependant, la plupart des auteurs s'entendent sur l'utilité (28, 30, 45), voire la nécessité (26) de la psychothérapie individuelle concomitante alors que d'autres (40), plus rares, ne la trouvent pas toujours utile. Certains suggèrent la présence de deux thérapeutes par groupe (32, 37, 45, 52). Par ailleurs, la plupart sont d'avis que le groupe offre une certaine dilution du transfert (17, 19, 37, 49) et une dimension de soutien (12, 16, 20, 33, 48), même si elle est à des degrés divers (30-31).

2. *Travaux méthodologiques*

2.1 *Définition de la population à l'étude*

La personnalité *borderline* a longtemps été une entité diagnostique mal définie et classée sous différentes appellations (59-69). Dans un effort de systématisation, le groupe de Gunderson a identifié les caractéristiques particulières et universellement reconnues de ce trouble (69). À partir de là, ils ont pu établir (70) des critères diagnostiques opérationnels, obtenus à l'aide d'une entrevue semi-structurée (*Diagnostic Interview for Borderlines* DIB; 71). Ces travaux ont servi d'inspiration aux critères du DSM III (68, 73), largement utilisés en clinique. Ils permettent de poser un diagnostic fiable (74-78) et présentent des signes intéressants de validité (74, 77-81).

2.2 Mesure des variables dépendantes

Gunderson (57) offre une analyse intéressante des variables dépendantes qui peuvent permettre d'évaluer le devenir de ces patients en psychothérapie (*outcome measures*). Les variables intrapsychiques semblent intéressantes, mais on manque d'instruments fiables pour les mesurer. Il en va de même pour les symptômes spécifiques à ces patients. Le DIB peut être répété, mais il semble improbable qu'il soit sensible à un changement en moins d'un an étant donné la longue période couverte par cette entrevue. Des tests psychologiques (particulièrement le *Rorscharch*) ont été utilisés, mais ces études présentent des problèmes méthodologiques majeurs et leur utilité reste suspecte. Mackenzie et Dies (92) suggèrent l'utilisation de plusieurs mesures de changement, subjectives et objectives, ainsi que l'évaluation des différentes aires de fonctionnement provenant de diverses sources d'information. Nous optons donc pour une série de mesures largement utilisées en recherche psychiatrique et qui couvrent les grands concepts inclus dans la notion de devenir en santé mentale: l'aspect social et psychologique.

En ce qui concerne l'aspect social, une révision approfondie des échelles connues (82) a conduit à la création du SAS (*Social Adjustment Scale* ; 83) et du SAS-SR (*SAS Self Report* ; 84, 85), qui ont été très largement utilisés auprès de populations psychiatriques très variées (86).

Quant à l'aspect psychologique, une série de mesures objectives sont utiles, certaines ne demandant pas d'interprétation et pouvant être recueillies de façon objective (nombre d'hospitalisations, jours d'hospitalisation, nombre de visites à l'urgence, nombre de gestes suicidaires ou para-suicidaires notés au dossier).

Les mesures de symptômes demandent plus d'interprétation de la part de l'évaluateur mais une entrevue semi-structurée permet d'améliorer la fiabilité. Le BPRS (*Brief Psychiatric Rating Scale* ; 87) est un tel instrument. Facile et rapide d'utilisation, il a été très largement employé auprès de diverses populations psychiatriques, dans des recherches évaluatives.

2.3 Mesure des variables intermédiaires (variables de traitement)

Les variables de traitement identifiées par Colson et Horwitz (91) sont :

- les caractéristiques du thérapeute;
- les caractéristiques des patients;
- les caractéristiques du groupe;
- le processus du groupe.

Bednar et Kaul (2), comme plusieurs autres, sont d'avis qu'on doit être capable de décrire de façon précise et globale les variables du traitement à l'étude, si on veut faire une investigation sérieuse de la psychothérapie de groupe.

Près de dix ans plus tard, Bednar et Kaul (1) affirment qu'il n'existe toujours pas de modèle conceptuel ou opérationnel tenant compte de l'ensemble des variables de traitement, ce qui rend le travail des chercheurs particulièrement difficile. De plus, comme le mentionne Hartman (88), les instruments employés pour évaluer les variables de traitement sont souvent improvisés et de validité douteuse.

Compte tenu de l'importance de décrire les variables de traitement dans une perspective d'analyse des résultats et de comparaison avec d'autres travaux, nous utiliserons quelques-unes des mesures les plus courantes dans d'autres études. Les mesures choisies caractériseront le type d'intervention des thérapeutes, la cohésion et le processus de fonctionnement du groupe.

2.4 Sources de biais

Bednar et Kaul (1) analysent les biais systématiques en recherche sur les traitements de groupe. Premièrement, ils suggèrent de contrôler l'effet placebo par l'utilisation de groupes-témoins comparables sous plusieurs aspects, autres que ceux à l'étude. Deuxièmement, ils suggèrent de contrôler le biais qui peut être introduit en ayant recours à des thérapeutes différents dans les groupes-témoins et expérimentaux. Finalement, ils mettent en garde contre la source de variance provenant des types d'interactions propres au fonctionnement d'un groupe précis, qui peut être confondue avec l'effet du traitement (par exemple, lorsqu'une différence existe entre les groupes-témoins et le groupe expérimental, quant à la compatibilité des caractères des membres).

d) Formulation d'hypothèses

Selon l'hypothèse de recherche, la psychothérapie de groupe (variable indépendante) va influencer favorablement le devenir (variable dépendante) de patients *borderlines* (selon le DSM III-R et le DIB) suivis en clinique externe.

$$d = f(pg) \text{ où } d = \text{ devenir}$$
$$pg = \text{ psychothérapie de groupe}$$

La fréquence avec laquelle on envoie ces patients en psychothérapie de groupe, les opinions favorables sur le plan théorique, les études descriptives nombreuses, presque toutes favorables, de même que les rares évidences expérimentales préliminaires coïncident pour suggérer que cette hypothèse mérite d'être vérifiée .

1. Aspect social :

SAS-SR: l'hypothèse prévoit une diminution du résultat moyen des éléments cotés.

2. Aspect psychologique :

Variables au dossier   :   l'hypothèse prévoit une diminution de ces indices.

Symptomatologie   :   l'hypothèse prévoit une diminution du résultat total au BPRS.

Fonctions du moi   :   l'hypothèse prévoit une élévation du résultat moyen des fonctions du moi au *Bellak Ego Function Assessment Scale* (BEFAS).

e) Type d'étude et devis de recherche

1. Étude préliminaire avec éléments de faisabilité

2. Étude principale

Devis expérimental prétest–post-test avec répartition aléatoire.

	t = 0		t = 2 mois		t = 6 mois
R	O_1	X	O_2	X	O_3
R	O_1	Y_1	O_2	Y_1	O_3
R	O_1	Y_2	O_2	Y_2	O_3

X = psychothérapie de groupe	(groupe expérimental: GE)
Y = groupe occupationnel	(groupe-témoin 1: GT 1)
Y = groupe «liste d'attente»	(groupe-témoin 2: GT 2)

f) Méthode et procédure de recheche

1. Population à l'étude et formation des groupes

1.1 Sélection et définition de la population à l'étude

Il s'agit de patients dont le diagnostic principal est un trouble de la personnalité *borderline* et qui ont un suivi actif (dossier ouvert) en clinique externe de psychiatrie. Ils devront suivre une psychothérapie individuelle avec une fréquence minimale d'une rencontre aux deux semaines, pendant au moins trois mois.

On fera appel aux équipes traitantes de psychiatrie du centre hospitalier concerné pour obtenir des références de cas correspondant à ces critères. Des procédures de relance (explications, rencontres) sont prévues. Le choix de l'appel aux équipes traitantes par rapport à une procédure d'échantillonnage au hasard présente les avantages suivants :

- plus grande facilité de réalisation;
- augmentation de la validité externe des résultats;
- garantie d'une meilleure collaboration des équipes traitantes.

On s'assurera de l'accord du médecin traitant et du psychothérapeute avant de contacter le sujet.

Une explication préliminaire sera donnée au sujet et on insistera sur le fait que sa participation à l'étude sera conditionnelle aux résultats de l'entrevue initiale, à laquelle on procédera une fois qu'il aura donné son consentement écrit. L'entrevue comprendra :

- une entrevue diagnostique semi-structurée: DSM III-R et DIB;
- des informations concernant la capacité du sujet à faire partie d'un groupe selon quatre critères (habilité verbale, capacité d'introspection, motivation à participer au groupe et histoire des relations interpersonnelles du sujet);
- les variables socio-démographiques obtenues du sujet.

Les patients admissibles à l'étude seront ceux qui auront satisfait aux critères :

- diagnostiques de personnalité *borderline* du DSM III-R;
- diagnostiques du DIB;
- de capacités minimales à faire partie d'un groupe.

Chaque critère sera coté sur une échelle de cinq points, et un seuil minimal d'admissibilité sera déterminé lors de l'étude préliminaire.

Par la suite, on demandera un consentement écrit de participation à l'étude pour l'un des trois groupes quel qu'il soit, de façon à pouvoir distribuer aléatoirement les sujets. Advenant le cas où l'un des trois groupes s'avère plus efficace, on assurera aux sujets qu'ils pourront y participer ultérieurement. Lors de l'étude préliminaire, on évaluera la possibilité de procéder à une distribution stratifiée se conformant à la sévérité du DIB, d'après le nombre de sujets disponibles.

1.2 Groupe

1.2.1 Constitution des groupes

Nous utilisons, ci-dessous, un nombre N hypothétique de 72 sujets, sachant que celui-ci pourrait être modifié, selon les résultats de l'étude préliminaire, sans toutefois altérer la structure proposée. Chaque groupe sera formé de huit patients. L'entrée des sujets se faisant progressivement, il est entendu que nous n'attendrons pas d'avoir réuni l'ensemble des sujets avant de constituer les premiers groupes. Lorsque 24 sujets auront satisfait aux critères d'admissibilité, ils seront répartis aléatoirement entre GE, GT 1 et GT 2. Cette procédure sera répétée à deux reprises.

GE et GT 1 partageront la caractéristique suivante: rencontres hebdomadaires d'une durée de 90 minutes, animées par deux thérapeutes ayant une expérience minimale en thérapie de groupe. Pour la durée de l'étude, ces groupes ne pourront recevoir de nouveaux membres. La durée des groupes GE et GT 1 sera de neuf mois, même si la mesure des variables dépendantes cesse après six mois. Cette procédure vise à éviter la mesure du sentiment d'abandon relié à la fin de la thérapie, ce qui pourrait biaiser les résultats.

1.2.2 Fonctions des groupes

L'orientation du groupe GE est dynamique et interactionnelle, l'accent étant mis sur la compréhension de soi et des relations interpersonnelles, dans le contexte du groupe *ici et maintenant* (*here and now*). Comme il peut exister des divergences entre la conceptualisation de la nature du groupe et la façon dont les thérapeutes l'orientent, une série de variables de traitement seront examinées, dans le but de préciser la nature du traitement et de maximiser la reproductibilité et la comparabilité de cette étude avec d'autres.

Le groupe occupationnel (GT 1) visera l'acquisition d'habilités techniques individuelles où le thérapeute est vu comme une aide technique. La fonction de ce groupe est de contrôler l'attention des thérapeutes, en limitant au maximum l'interaction entre les membres du groupe, de façon à exclure l'ingrédient supposé actif de GE.

Le groupe «liste d'attente» (GT 2) aidera à différencier l'effet du temps qui passe, de l'effet de l'attention accordée dans GE et GT 1.

1.2.3   Répartition des thérapeutes

De façon à s'assurer que les caractéristiques des thérapeutes seront les mêmes dans les groupes GE et GT 1, ils seront répartis comme suit:

Thérapeutes	A	B	C	D	E	F
Sexe	f	h	f	h	f	h

GE	**GT 1**
AB	AD
CD	BE
EF	CF

Ainsi, chaque thérapeute rencontre les deux conditions, et chaque couple de thérapeutes comprend un homme et une femme.

2. *Données à recueillir et source des données*

2.1 *Variables contrôlées (des sujets)*

2.1.1   Données obtenues à l'entrevue initiale

- Échelle diagnostique: DIB (cotes) et DSM III-R (nombre de critères)
Cette information est obtenue lors d'une entrevue semi-structurée faite par un évaluateur neutre;

- Capacité à faire partie d'un groupe
Cette échelle couvre quatre dimensions, chacune étant cotée sur cinq points par le même évaluateur;

- Données socio-démographiques rapportées par le sujet
Âge, sexe, scolarité, occupation actuelle et occupation la mieux rémunérée, durant la vie du sujet et du principal pourvoyeur de son enfance. Les informations sur l'occupation seront utilisées pour estimer le niveau socio-économique du sujet et de son milieu d'origine, à partir de l'échelle des professions de Recensement Canada;

- Temps (en mois) depuis la première demande d'aide psychiatrique ou psychologique pour difficultés personnelles (et non pas à titre d'informateur pour une consultation ayant été demandée pour un autre membre de la famille, par exemple). Cette information est rapportée par le sujet, car dans nos expériences antérieures de recherche, le dossier nous est apparu peu fiable à ce point de vue.

2.1.2   Données obtenues à partir du dossier hospitalier

- Nombre d'hospitalisations durant la vie du sujet
- Temps (en mois) depuis la première hospitalisation

• Médication psychiatrique prescrite
(Les données sur la médication seront recueillies pour l'année précédant l'inclusion des sujets dans le projet de recherche, puisqu'il s'agit d'une variable contrôlée et non pas d'une variable dépendante.)

Les médicaments seront regroupés en quatre catégories :
– anti-psychotiques
– anti-dépresseurs
– régulateurs de l'humeur
– anxiolytiques hypnotiques.
(La prescription dans chaque classe de médicaments sera étudiée, mois par mois, comme une variable nominale dichotomique [prescrit=1 versus non prescrit=0].)

2.2 Variables intermédiaires

Les variables intermédiaires seront les seules à ne pas être administrées aux trois groupes GE, GT 1 et GT 2. En effet, il n'est pas pertinent d'utiliser les échelles proposées avec les sujets du groupe «liste d'attente». Ces variables pourraient permettre non seulement de caractériser les groupes, mais également de vérifier a posteriori que la différence prévue entre GE et GT 1 a été maintenue.

• CSLB (*Category system for leadership behavior*)
Mesure permettant de caractériser le mode de communication des thérapeutes dans le groupe;

• HIM (*Hill Interaction Matrix*) ou IPA (*Interaction Process Analysis*)
Mesure permettant de catégoriser et d'évaluer les types d'interactions dans le groupe.

   N.B.:   Pour ces deux premières mesures, les données seront recueillies par un évaluateur *aveugle* aux hypothèses de la recherche. Les séances de thérapie seront filmées sur vidéo. Deux séquences de cinq minutes par séance seront sélectionnées au hasard et étudiées selon le cadre d'analyse proposé. Un total de 260 minutes de psychothérapie de groupe sera donc analysé dans le cadre de l'étude principale.

• GCS (*Gross Cohesiveness Scale*)
Mesure de la cohésion telle qu'elle est perçue par les membres du groupe aux temps $t = 2$ mois et $t = 6$ mois. Cette échelle ne sera pas administrée au temps $t = 0$, car plusieurs questions ne sont pas pertinentes, si le groupe n'a pas encore commencé la thérapie.

• Description des thèmes abordés en cours de thérapie, d'après le rapport écrit des thérapeutes du groupe après chaque séance.

2.3 Variables dépendantes

Ces entrevues seront conduites auprès de tous les sujets (GE, GT 1 et GT 2) aux temps $t = 0$, $t = 2$ mois et $t = 6$ mois.

• BPRS   : entrevue semi-structurée faite par un évaluateur *aveugle;*
• BEFAS   : entrevue semi-structurée faite par un évaluateur *aveugle;*
• SAS-SR : questionnaire auto-administré rempli lors de chacune des entrevues.

2.3.1 Données obtenues à partir du dossier hospitalier

Ces données seront recueillies au dossier à la fin de l'étude et couvriront l'ensemble de la période d'observation, c'est-à-dire de t = 0 et de t = 6 mois.

- Nombre de périodes d'observation psychiatrique;
- Total des jours d'observation psychiatrique;
- Nombre d'hospitalisations psychiatriques;
- Total des jours d'hospitalisation psychiatrique;
- Total des jours à l'hôpital en psychiatrie (jours d'observation plus jours d'hospitalisation);
- Nombre de visites à l'urgence psychiatrique avec congé;
- Nombre de gestes suicidaires et para-suicidaires notés au dossier.

N.B.: Ces informations seront disponibles pour tous les sujets incluant les désistements (*drop-out*).

3. Techniques de mesure

3.1 Échelles utilisées lors de l'entrevue initiale

3.1.1 DIB

Cette entrevue semi-structurée, d'une durée approximative d'une heure, évalue 29 éléments regroupés en cinq dimensions (adaptation sociale, 4 éléments; comportements impulsifs, 5 éléments; affect, 5 éléments; psychose, 8 éléments; relations interpersonnelles, 7 éléments) à l'aide de questions structurées.

Différentes échelles de temps sont utilisées selon les questions. En général, on insiste davantage sur des éléments d'histoire plutôt que sur les symptômes très récents, car ces derniers sont très changeants chez les patients *borderlines* .

Plusieurs unités d'information doivent être obtenues et cotées (0 = non, 1 = probable, 2 = oui). En tout, il y a 129 unités d'information pour les 29 éléments. Une fois chaque unité d'information obtenue, les 29 éléments sont cotés de 0 à 2. Le total est fait pour chaque dimension. Selon le nombre d'éléments dans chaque dimension, les cotes maximales de chaque dimension peuvent varier de 8 à 16. Pour donner une pondération équivalente à chaque dimension, les résultats sont ramenés sur une échelle de 0 à 2 pour chacune d'entre elles. Une fois compilé, le résultat total pourra varier de 0 à 10. Il est recommandé d'utiliser le total de 7 comme seuil au-dessus duquel le diagnostic de personnalité *borderline* est posé (meilleur équilibre entre sensibilité et spécificité).

3.1.2 DMS III-R

Le diagnostic de personnalité *borderline* est posé, lorsqu'au moins cinq des huit caractéristiques mentionnées sont présentes chez les sujets évalués. Il est probable que les renseignements obtenus par le DIB permettent d'évaluer les 8 critères du DSM III-R pour la personnalité *borderline*. La durée de l'entrevue initiale ne sera probablement pas prolongée de manière significative par le DSM III-R.

3.2. *Variables dépendantes*

3.2.1 BPRS

Le BPRS contient 18 échelles ordinales codées de 0 (absent) à 6 (extrêmement grave). Dans chaque échelle, on évalue la gravité d'un des 16 symptômes psychiatriques. Chaque symptôme est brièvement défini sur l'échelle que l'évaluateur a en main. Après trois minutes de prise de contact et dix minutes d'entrevue non directive, on pose, pendant environ cinq minutes, des questions directes sur la présence des symptômes. L'échelle de temps proposée est d'une semaine ou du laps de temps écoulé depuis la dernière évaluation. Certains utilisateurs très expérimentés (par exemple le Dr Chouinard en communication personnelle) se servent d'une échelle de temps plus courte (24-48 dernières heures), ce qui pourrait augmenter la fiabilité. La somme totale des 18 échelles (0 à 108) donne une estimation de la symptomatologie globale. Les échelles peuvent aussi être regroupées en différents facteurs (anxiété–dépression, anergie, troubles de la pensée, hostilité–méfiance).

3.2.2 BEFAS

Le *Bellak Ego Functions Assessment* permet d'évaluer 12 fonctions du moi: le *testing* de la réalité, le jugement, le sens de la réalité, le contrôle des pulsions, les relations d'objet, le processus de la pensée, la régression au service du moi, les mécanismes de défense, la barrière aux stimuli, l'autonomie, la maîtrise et l'interrelation entre les fonctions. Chaque fonction est cotée sur une échelle ordinale de 1 à 13, 13 étant le niveau le plus élevé et 6 la moyenne normale. Cette évaluation se fait par entrevue semi-structurée, et de nombreuses questions précises sont suggérées par les auteurs. Le résultat moyen des 12 échelles peut être utilisé comme indice global.

3.2.3 SAS-SR

Il s'agit d'un questionnaire auto-administré. Il suffit de 15 à 20 minutes pour le remplir. Les 42 questions couvrent les aires suivantes de fonctionnement social: le travail (que ce soit comme travailleur, comme ménagère ou comme étudiant), les activités sociales et les loisirs, les relations avec la famille élargie, le rôle de conjoint, le rôle de parent et de membre de l'unité familiale. Une cote plus élevée exprime un moins bon fonctionnement. La cote globale est obtenue en additionnant tous les éléments cotés et en divisant par le nombre d'éléments cotés. Une version française de l'instrument est disponible.

3.3 *Variables intermédiaires*

3.3.1 CSLB

Le CSLB est une grille d'analyse permettant de distinguer 13 types de réponses du thérapeute, dans le contexte d'une thérapie de groupe. L'évaluateur analyse chaque phrase formulée par le thérapeute et les classe dans l'une des 13 dimensions descriptives.

3.3.2 HIM ou IPA

Le HIM et le IPA sont les grilles les plus couramment employées pour l'étude du processus utilisé pour de petits groupes, dans le cadre de la recherche. La raison pour laquelle nous ne pouvons opérer un choix dans l'immédiat est que nous ne possédons que très peu d'information sur le HIM, même de façon indirecte. Une demande écrite sera acheminée aux personnes concernées pour qu'elles fournissent des informations supplémentaires. Pour sa part, le IPA est une approche centrée sur les aspects comportementaux de la communication entre les membres d'un groupe. Cet instrument est constitué de neuf dimensions descriptives, chacune cotée sur une échelle de sept points par un évaluateur neutre. Des résultats satisfaisants ont été obtenus au point de vue fiabilité.

3.3.3 GCS

Le GCS est un instrument largement utilisé pour mesurer le niveau de cohésion de groupes thérapeutiques. Cette grille est constituée de sept dimensions descriptives, chacune cotée sur une échelle de six points. Elle est remplie par chacun des membres du groupe.

4. Qualité des mesures

Le sujet de la qualité intrinsèque des instruments utilisés dans le processus diagnostique et dans la mesure des variables dépendantes a déjà été abordé dans l'état des connaissances. Nous devons toutefois nous assurer de leur fiabilité dans le cadre de l'étude principale.

La qualité des mesures intermédiaires reste difficile à établir. Un des critères de sélection des mesures a été leur utilisation fréquente dans le cadre de recherches antérieures. La fiabilité de ces mesures sera vérifiée lors des prétests.

5. Étude préliminaire

Une étude préliminaire sera faite pour nous assurer de la faisabilité de certains éléments de la recherche principale. Nous voulons, entre autres, vérifier :

- la possibilité de maintenir une différence entre les groupes GE et GT 1;
- l'efficacité de la procédure de sélection des sujets telle qu'elle a été proposée;
- la fiabilité des échelles de mesure à la suite de l'entraînement des évaluateurs;
- la possibilité d'opérationnaliser le concept de gestes suicidaires notés au dossier.

Nous voulons également connaître de façon approximative :

- le débit d'entrée des références, ce qui aura un effet sur le temps nécessaire pour réaliser l'étude;
- les variances et les différences attendues entre les groupes pour les variables dépendantes, de façon à déterminer plus précisément le nombre N de sujets nécessaires pour maximiser nos chances d'obtenir des résultats significatifs.

L'étude préliminaire pourrait porter sur deux groupes (GE et GT 1) d'environ huit patients chacun, constitués pour une durée de sept mois avec évaluation aux temps t = 0, t = 2 mois et t = 6 mois, selon les procédures de l'étude principale.

g) Plan de la recherche

(Voir la page ci-contre)

PLAN DE RECHERCHE

PRÉPARATIFS	ÉTUDE PRÉLIMINAIRE	ÉTUDE PRINCIPALE	
– sélection des thérapeutes – sélection des évaluateurs – entraînement des évaluateurs – préparation des feuilles de codage	– répétition générale sur 2 groupes: GE et GT 1 constitués de 8 sujets chacun, pour une durée de 7 mois, avec prise de données aux temps t = 0, t = 6 mois, selon les procédures de l'étude principale. – 6 mois supplémentaires seront prévus pour l'analyse de l'étude préliminaire, de même que pour les correctifs et les derniers préparatifs à l'étude principale.	72 sujets seront répartis de façon aléatoire entre 3 groupes: GE (psychothérapie de groupe), GT 1 (groupe occupationnel) et GT 2 (liste d'attente). La durée de GE et de GT 1 sera de 9 mois.	Saisie et analyse des données Rédaction des rapports

ÉTUDE PRINCIPALE (détail)

	Pré-expérimental	t = 0 mois	t = 2 mois	t = 6 mois
Variables contrôlées	– DIB – DSM III-R – variables socio-démographiques – temps depuis la première demande d'aide psychologique			Dossier: –âge –nombre d'hospitalisations à vie –temps depuis la première hospitalisation à vie –médication
Variables intermédiaires	CSLB HIM ou IPA		GCS	GCS
Variables dépendantes		BPRS BEFAS SAS-SR	BPRS BEFAS SAS-SR	BPRS BEFAS SAS-SR
				Dossier: –observations psychiatriques –hospitalisations psychiatriques –visites à l'urgence psychiatrique –gestes suicidaires et para-suicidaires

Échéancier

2		9	15	18	24	30	36
2 mois	7 mois	6 mois	3 mois	6 mois	6 mois	6 mois	6 mois
				Début du 1er groupe	Fin du 1er groupe	Début du 1er groupe	Fin du 1er groupe

h) Moyens logistiques : fonds nécessaires

*   *Temps–thérapeute :*   il peut être en partie couvert par les salaires réguliers, si les sujets sont recrutés parmi les patients qui, de toute façon, seraient envoyés en psychothérapie de groupe. Cette procédure risque cependant de retarder l'entrée des sujets et de limiter la disponibilité des thérapeutes, de telle sorte que l'étude se verrait retardée. Par conséquent, on pourrait prévoir qu'une partie du temps–thérapeute soit financée à même les fonds de recherche. De plus, malgré le fait que les thérapeutes sélectionnés devront avoir de l'expérience en thérapie de groupe, du temps–thérapeute est à prévoir pour une formation minimale, de façon à uniformiser la procédure.

*   *Temps–évaluateur :*   pour chaque sujet, on doit prévoir une heure pour l'évaluation initiale, trois heures pour l'évaluation des variables dépendantes et deux heures pour l'évaluation des variables intermédiaires, ce qui fait un total de 528 heures de temps–évaluateur, incluant l'étude préliminaire et l'étude principale.

*   *Travail de secrétariat et saisie de données*

*   *Assistant de recherche :*   l'engagement d'un assistant de recherche pour une durée d'un à deux mois est à prévoir pour préparer ou participer à la préparation du programme de saisie de données et pour collaborer à l'analyse des données.

*   *Temps–ordinateur*

*   *Temps de consultation*   pour la méthodologie et les statistiques.

i) Analyse et interprétation

La variable dépendante (état de santé mentale) est une variable multidimensionnelle composée de plusieurs facteurs pouvant varier indépendamment et pour laquelle aucun index n'existe. Par conséquent, chacune des variables dépendantes devra être analysée séparément.

À la lumière de notre expérience statistique limitée, nous supposons que la présence de trois groupes implique une analyse de variance à un facteur (*one-way analysis ANOVA*), à savoir le traitement. Lorsque l'hypothèse nulle est rejetée à un seuil de confiance jugé pertinent, un test de HSD (*Honestly Significant Difference*) sera effectué, pour permettre d'identifier le groupe de traitement qui diffère des autres de façon significative.

j) Portée de l'étude

La principale limite à la généralisation des résultats à l'ensemble de la population *borderline* provient du fait que la sélection des sujets se fait parmi les utilisateurs de services psychiatriques. Cette limite ne pose toutefois pas de problème majeur puisqu'il est peu pertinent d'évaluer l'effet d'un traitement chez des sujets qui ne demandent pas de soins. On peut aussi se poser des questions sur la possibilité de généraliser nos résultats à une population *borderline* provenant de milieux socioculturels différents.

La nature même des ingrédients supposés actifs dans le GE peut être une limite à la reproductibilité et à la généralisation des résultats obtenus. Cela constitue une des principales raisons pour lesquelles il nous est apparu nécessaire d'estimer certaines variables intermédiaires.

La confirmation de l'hypothèse de recherche viendrait légitimer une pratique thérapeutique courante dont l'efficacité est inconnue. Si on ne peut pas la confirmer, deux choix sont possibles :

- une situation de groupe ne convient pas aux patients *borderlines* ;
- les caractéristiques particulières du GE n'ont pas permis de démontrer l'efficacité du groupe pour cette population. Mentionnons toutefois que nous avons tenté de sélectionner les caractéristiques du groupe, à partir de l'état des connaissances, de façon à maximiser nos chances de prouver l'effet bénéfique du groupe.

BIBLIOGRAPHIE

1. BEDNAR, R.L. et T.J. KAUL. "Experiential Group Research: Results, Questions and Suggestions" dans S.L. GARFIELD et A.E. Bergin (Ed.), *Handbook of Psychotherapy and Behavior Change,* New York, Wiley, 1986: 671-714.

2. BEDNAR, R.L. et T.J. KAUL. "Experiential Group Research: Current Perspectives" dans S.L. GAR-FIELD et A.E. BERGIN (Ed.), *Handbook of Psychotherapy and Behavior Change,* New York, Wiley, 1978.

3. BEDNAR, R.L. et F. LAWLIS. "Empirical Research in Group Psychotherapy", dans S. L. GARFIEL et A.E. BERGIN (Ed.), *Handbook of Psychotherapy and Behavior Change,* New York: Wiley, 1971.

4. CAMPBELL, J.P. et M.D. DUNETTE. "Effectiveness of T-Group Experiences in Managerial Training and Development", *Psychological Bulletin,* 1968, 70: 73-104.

5. DIES, R.R. "Group Psychotherapy: Reflections on Three Decades of Research", *Journal of Applied Behavioral Sciences,* 1979, 15: 361-373.

6. GAZDA, G.M. *Group Counseling: A Developmental Approach,* Boston: Allyn & Bacon, 1978.

7. GIBB, J.R. "The Effect of Human Relations Training" dans A.E. BERGIN et S.L.GARFIELD (Ed.), *Handbook of Psychotherapy and Behavior Change,* New York, Wiley, 1971.

8. PARLOFF, M.B. et R.R. DIES. "Group Psychotherapy Outcome Research 1965-1975", *International Journal of Group Psychotherapy,* 1977, 27: 281-320.

9. SMITH, P.B. "Are There Adverse Affects of Sensitivity Training?", *Journal of Humanistic Psychology,* 1975, 15: 29-47.

10. STOCK, D. "A Survey of Research on T-Groups" dans L.P. BRADFORD, J.R.GIBB et K.D. BENNE (Ed.), *T-Group Theory and Laboratory Method; Innovation in Reeducation,* New York, Wiley, 1964.

11. PIPER, W.E., DEBBANE, E.G. et J. GARANT. "An Outcome Study of Group Therapy" *Archives of General Psychiatry,* 1977, 34: 1027-1032.

12. FREEDMAN, M.B. et B.S. SWEET. "Some Specific Features of the Group Psychotherapy and their Implications for Selection of Patients", *International Journal of Group Psychotherapy,* 1954, 8: 76-84.

13. GODENNE, D.G. "Outpatient Management of the Borderline Adolescent", *Adolescence,* 1978, 13 (52): 615-626.

14. HOMER, A.J. "A Characteriological Contraindication for Group Psychotherapy", *Journal of the American Academy of Psychoanalysis,* 1975, 3 (3): 301-305.

15. HORWITZ, L. "Group-Centered Interventions in Therapy Groups", *Comparative Group Studies*, 1971, 2 (3): 311-331.

16. HORWITZ, L. "Group Psychotherapy of the Borderline Patient" dans P. HARTOCOLLIS (Ed.), *Borderline Personality Disorder: The Concept, the Syndrome, the Patient*, New York, International Universities Press, 1977A.

17. HORWITZ, L. "A Group-Centered Approach to Group Psychotherapy", *International Journal of Group Psychotherapy*, 1977B, 27 (4): 423-439.

18. HORWITZ, L. "Group Psychotherapy for Borderline and Narcissistic Patients", *Bulletin of the Menninger Clinic*, 1980, 44 (22): 181-200.

19. HORWITZ, L. " Indications for Group Psychotherapy with Borderline and Narcissistic Patients.", *Bulletin of the Menninger Clinic*, 1987, 51 (3): 248-260.

20. KIBEL, H.D. "The Rationale for the Use of Group Psychotherapy for Borderline Patients on a Short Term Unit", *International Journal of Group Psychotherapy*, 1978, 28: 339-358.

21. KIBEL, H.D. "The Importance of a Comprehensive Clinical Diagnosis for Group Psychotherapy of Borderline and Narcissistic Patients", *International Journal of Group Psychotherapy*, 1980, 30 (4): 427-440.

22. LIFF, Z. A. "Group Psychotherapy for the 1980's: Psychoanalysis of Pathological Boundary Structuring", *Group*, 1978, 2 (3): 184-192.

23. PINES, M. "Group Analytic Psychotherapy of the Borderline Patient", *Group analysis*, 1978, 11 (2): 115-126.

24. ROTH, B.E. "Six Types of Borderline: an Initial Typology", *International Journal of Group Psychotherapy*, 1982, 32 (1): 9-27.

25. ROTH, B.E. "Problems of Early Maintenance and Entry into Group Psychotherapy with Persons Suffering from Borderline and Narcissistic States", *Group*, 1979, 3 (1): 3-22.

26. SLAVINSKA-HOLY, N. "Treatment of the Borderline in Homogeneous Groups and the Use of the Body Transference Technique" dans R.L. WOLBERG et M.L. ARONSON (Ed.), *Group and Family Therapy*, New York, Brunner & Mazel, 1980.

27. SPITZ, H.I. "Contemporary Trends in Group Psychotherapy: A Literature Survey", *Hospital and Community Psychiatry*, 1984, 35 (2): 132-142.

28. SPOTRITZ, H. " The Borderline Schizophrenic in Group Psychotherapy: The Importance of Individualization", *International Journal of Group Psychotherapy*, 1957, 7 (2): 155-174.

29. STEIN, A. "Indications for Group Psychotherapy and the Selection of Patients", *Journal of the Hillside Hospital*, 1963, 12: 145-155.

30. WONG, N. "Clinical Considerations in Group Treatment of Narcissistic Disorders", *International Journal of Group Psychotherapy*, 1979, 32 (1): 29-47.

31. WONG, N.   "Focal Issues in Group Psychotherapy of Borderline and Narcissistic Patients" dans L.R. WOLBERG et M.L.ARONSON (Ed.),*Group and Family Therapy*, New York, Brunner & Mazel, 1980.

32. GREENBLUM, D.N. et B.L. PINNEY.   "Some Comments on the Role of Cotherapists in Group Psychotherapy with Borderline Patients",   *Group*,   1982, 6 (1): 41-47.

33. SHASKAN, D.A. " Treatment of a Borderline Case with Group Analytically Oriented Psychotherapy", *Journal of Forensic Sciences*,   1957, 2: 195-202.

34. KOLB, G.E. " Group Therapy in an Outpatient Setting with Borderline and Narcissistic Delinquents on Probation",   *Group*,   1983, 7 (2): 38-47.

35. BATTEGAY, R. et C. KLAUI. "Analytically Oriented Group Psychotherapy with Borderline Patients as Long-Term Crisis Management",   *Crisis*,   1986, 7 (2): 94-110.

36. DROB, S. *et al* . "The Problem of Reinterpretive Distorsions in Group Pychotherapy with Borderline Patients", *Group*, (1982, 6 (4): 14-22.

37. FEILBERT-WILLIS, R. *et al* . "Techniques for Handling Resistances in Group Psychotherapy with Severely Disturbed Patients",   *Group*, 1986, 10 (4): 228-238.

38. FELBERG, T. "Treatment of "Borderline" Psychotics in Groups of Neurotic Patients", *International Journal of Group Psychotherapy*, 1958, 8: 76-84.

39. GOODPASTOR, W.A. *et al* . "A Social Learning Approach to Group Psychotherapy for Hospitalized DSM-III Borderline Patients", *Journal Psychiatric Treatment and Evaluation*,   1983, 5: 331-335.

40. GROBMAN, J. "The Borderline Patient in Group Psychotherapy", *International Journal of Group Psychotherapy*,   1980, 30 (2): 299-318.

41. GORTJAHN, M. "The Narcissistic Person in Analytic Group Therapy", *International Journal of Group Psychotherapy*, 1984, 34 (2): 243-256.

42. HOLMAN, S.L. "A Group Program for Borderline Mother and their Toddlers", *International Journal of Group Psychotherapy*,   1985, 35 (1): 79-93.

43. HULSE, W.C. "Psychotherapy with Ambulatory Schizophrenic Patients", *Bulletin of the Menninger Clinic*, 1958, 51 (3): 248-260.

44. LEVIN, S. "The Adolescent Group as Transitional Object", *International Journal of Group Psychotherapy*, 1982, 32 (2): 217-232.

45. LOFTON, P. *et al* . "Combined Group and Individual Treatment for the Borderline Patient", *Group*, 1983, 7 (3): 21-26.

46. MACASKILL, N.D. "The Narcissistic Core as a Focus in the Group Therapy of the Borderline Patient", *British Journal of Medical Psychology*, 1980, 53: 137-143.

47. ROTH, B.E. "Understanding the Development of a Homogeneous Identity Impaired Group through Countertransference Phenomena", *International Journal of Group Psychotherapy*, 1980, 30 (4): 425-426

48. SCHEIDLINGER, S. et M. PYRKE. "Group Therapy of Women with Severe Dependency Problems", American Journal of Ortho-psychiatry,   1961, 31: 776-785.

49. SCHRETER, R.K. " Treating the Untreatables :   A Group Experience with Somatizing Borderline Patients", International Journal of Psychiatry in Medicine,   1980-81, 10 (3): 205-215.

50. SLAVINSKA-HOLY, N. "Combining Individual and Homogeneous Group Psychotherapies for Borderline Conditions", International Journal of Group Psychotherapy,   1983, 33 (3): 297-312.

51. STONE, W.N. et J.P. GUSTAFSON. "Technique in Group Psychotherapy of Narcissistic and Borderline Patients", International Journal of Group Psychotherapy,   1982, 32 (1): 29-47.

52. THAYER, V.B.   "The Use of a Support Group for Borderline Mothers of Adolescents", Social Work with Groups, 1986, 9 (2): 57-71.

53. WONG, N. "Combined Group and Individual Treatment of Borderline and Narcissistic Patients: Heterogeneous Versus Homogeneous Groups", International Journal of Group Psychotherapy,   1980B, 30 (4): 389-404.

54. MACASKILL, N.D. "Therapeutic Factors in Group Treatment with Borderline Patients", International Journal of Group Psychotherapy,   1982, 32 (1): 61-73.

55. NURENBERG, S.J.G. "Psychological Development of Borderline Adolescents in Wilderness Therapy", Dissertation Abstracts International,   1986, 46 (11): 3488-A.

56. STONE, W.M. et al . "Late Dropouts from Group Psychotherapy", American Journal of Psychotherapy,   1980, 34(3): 401-413.

57. GUNDERSON, J.G. (Ed.), Borderline personality disorder, Washington: American Psychiatric Press,   1984, 81: 78-84.

58. KRETSCH, R., GOREN, Y.et A. WASSERMAN. "Change Patterns of Borderline Patients in Individual and Group Psychotherapy", International Journal of Group Psychotherapy,   1987, 37 (1): 95-112.

59. STERN, A.   " Psychoanalytic Investigation of a Therapy in the Borderline Group of Neuroses", Psychoanalytic Quarterly,   1938, 7: 467-489.

60. ZILBOORG, G. "Ambulatory Schizophrenia", Psychiatry, 1941, 4: 149-155.

61. DEUTSCH, H. "Some Forms of Emotional Disturbance and their Relationship to Schizophrenia", Psychoanalytic Quarterly,   1942, 11: 301-321.

62. HOCH, P.H. et P. POLATIN. "Pseudoneurotic Forms of Schizophrenia", Psychiatric Quarterly, 1949, 23: 248-276.

63. KNIGHT, R.P. "Borderline States", Bulletin of the Menninger Clinic, 1953, 1: 1-12.

64. FROSCH, J. "The Psychotic Character: Clinical Psychiatric Considerations, Psychiatric Quarerly, 1964, 38: 81-96.

65. KERNBERG, O. "Borderline Personality Organization", *Journal of American Psychoanalysis Association,* 1967, 15: 641-685.

66. GRINKER, R. *et al* . *The Borderline Syndrome,* New York: Basic books, (1968).

67. BERGERET, J. "Les états limites", *Revue Française de Psychanalyse,* 1970, 34 (4): 600-634.

68. SPITZER, R.L. *et al* . *Diagnostic and Statistical Manual of Mental Disorders,* (DSM III), 3e édition, Washington, American Psychiatric Association, 1980.

69. GUNDERSON, J.G. et M.T. SINGER. " Defining Borderline Patients: An Overview", *American Journal of Psychiatry,* 1975, 132 (1): 1-10.

70. GUNDERSON, J.G.et J.E. KOLB. " Discriminating Features of Borderline Patients", *American Journal of Psychiatry,* 1978, 135 (7): 792-796.

71. KOLB, J.E. et J.G. GUNDERSON. " Diagnosis Borderline Patients with a Semistructured Interview", *Archives of General Psychiatry,* 1980, 37: 37-41.

72. GUNDERSON, J.G. *et al* . "The Diagnostic Interview for Borderline Patients", *American Journal of Psychiatry,* 1981, 138 (7): 896-903.

73. SPITZER, R.L. *et al* . "Crossing the Border into Borderline Personality and Borderline Schizophrenia: The Development of Criteria", *Archives of General Psychiatry,* 1979, 36: 17-24.

74. KROLL, J. *et al* . "Borderline Personality Disorder: Construct Validity of the Concept", *Archives of General Psychiatry,* 1981, 38: 1021-1026.

75. SOLOFF, P.H. et R.F. ULRICH. "Diagnostic Interview for Borderline: A Replication Study", *Archives of General Psychiatry,* 1981, 38: 686-692.

76. CORNELL, D.G. *et al* . "Test–Retest Reliability of the Diagnostic Interview for Borderlines", *Archives of General Psychiatry,* 1983, 40: 1307-1310.

77. BARRASH, J. *et al* . "Discriminating Borderline Disorder from other Personality Disorders: Cluster Analysis of the Diagnostic Interview for Borderlines", *Archives of General Psychiatry,* 1983, 40: 1297-1302.

78. HURT, S.W. *et al* . "Assessing Borderline Personality Disorder with Self-Report, Clinical Interview or Semistructured Interview", *American Journal of Psychiatry,* 1984, 141: 1228-1231.

79. McGLASHAN, T.H. "The Borderline Syndrome: 1. Testing Three Diagnostic Systems.", *Archives of General Psychiatry,* 1983, 40: 1311-1318.

80. POPE, H.G. *et al* . "The Validity of DSM III Borderline Personality Disorder: A Phenomenologic Family History, Treatment Response and Long-Term Follow-Up Study", *Archives of General Psychiatry,* 1983, 40: 23-30.

81. KERNBERG, O. *et al* . "Diagnosing Borderline Personality: A Pilot Study Using Multiple Diagnostic Methods", *Journal of Nervous and Mental Disease,* 1983, 160 (4): 225-231.

82. WEISSMAN, M.M. "The Assessment of Social Adjustment: A Review of Techniques.", *Archives of General Psychiatry*, 1975, 32: 357-364.

83. SCHOOLER, N. *et al*. "Social Adjustment Scale-II (SAS-II)" dans HARGREAVES *et al*. (Ed.), *Resource Materials for Community Mental Health Program Evaluators*, US Dept of Health, Education and Welfare, 1979, 290-330.

84. WEISSMAN, M.M. et S. BOTHWELL. "Assessment of Social Adjustment by Patient Self-Report", *Archives of General Psychiatry*, 1976, 33: 1111-1115.

85. WEISSMAN, M.M. *et al*. "Social Adjustment by Self-Report in a Community Sample and in Psychiatric Out-Patients", *Journal of Nervous and Mental Disease*, 1978, 166 (5): 317-326.

86. WEISSMAN, M.M. *Social Adjustment Scale*, References of Publications Using the Various Versions of the Scale, List Updated May 1985, (non publié).

87. OVERALL, J.E. et D.R. GORHAM. "The Brief Psychiatric Rating Scale", *Psychological Reports*, 1962, 10: 799-812.

88. HARTMAN, J.J. "Small Group Methods of Personal Change", *Annual Revue of Psycholology*, 1979, 30: 453-476.

89. KERNBERG, O.F. "Neurosis Psychosis and the Borderline States" dans H.I. KAPLAN et B.J. SADOCK (Ed.), *Comprehensive Textbook of Psychiatry*, 4e édition, Baltimore, Williams & Wilkins, 198: 621-630.

90. VAILLANT, G.E. et C. PERRY. "Personality Disorders" dans H.I. KAPLAN et B.J. SADOCK (Ed.), *Comprehensive Textbook of Pychiatry*, 4e édition, Baltimore, Williams & Wilkins, 1985: 958-986.

91. COLSON, D.B. et L. HORWITZ. "Research in Group Psychotherapy" dans H.I. KAPLAN et B.J. SADOCK (Ed.), *Comprehensive Group Psychotherapy*, Baltimore, Williams & Wilkins, 1983: 304-311.

92. DIES, R.R. "Bridging the Gap Between Research and Practice in Group Psychotherapy" dans R.R. DIES et K.R. MACKENZIE (Ed.), *Advances in Group Pychotherapy: Integrating Research and Practice*, New York, International Universities Press, 1983: 14.

93. BELLAK *et al*. (Ed.). *Ego Functions in Schizophrenics Neurotics and Normals*, New York, John Wiley & Sons, 1973.

EXEMPLE 3

ÉVALUATION DU PROJET D'IMPLANTATION DU GUIDE
INTERVENTION, ADOLESCENCE MTS

par

Johanne Laguë

COMMENTAIRES

ÉVALUATION DU PROJET D'IMPLANTATION DU GUIDE *INTERVENTION, ADOLESCENCE MTS*

1. Présentation du projet

Le projet s'inscrit dans le cadre d'une intervention plus large de prévention des MTS en milieu scolaire, menée par un DSC. Il vise tout d'abord à évaluer l'effet d'un programme de formation en MTS sur les connaissances, attitudes et pratiques pédagogiques de professeurs en formation personnelle et sociale, au niveau secondaire. Il veut aussi évaluer l'implantation d'un outil pédagogique (guide *Intervention, Adolescence MTS*), en étudiant comment certaines caractéristiques des enseignants et des organisations dans lesquelles ils évoluent influencent la réalisation des activités suggérées par ce guide. Le projet comprend donc deux types d'évaluation et se structure autour de deux stratégies de recherche (évaluation de l'effet: devis quasi expérimental avec groupe-contrôle non équivalent; évaluation de l'implantation: recherche synthétique comparative).

2. Problème de recherche

Cette section est longue mais fait bien ressortir la nécessité d'intervenir en prévention des MTS, l'utilité des stratégies éducatives et les moyens susceptibles de contribuer à des pratiques pédagogiques plus efficaces dans ce domaine. La description du programme et de ses objectifs (*Annexe 1*) est adéquate.

3. État des connaissances

Cette section débute par une description des stratégies de recherche et des mesures d'effet utilisées dans des études antérieures, qui semble peu utile puisque la section *discussion des résultats* soulève, de façon critique, les lacunes méthodologiques de ces études (p. 167-168).

4. Modèles théoriques et hypothèses

Les modèles théoriques sont présentés à la suite de chacune des deux sections portant sur l'état des connaissances. On peut se demander si le modèle suggéré pour l'évaluation de l'effet répond à la nécessité relevée par l'auteure d'identifier précisément les différentes composantes du programme. Les hypothèses pour l'étude d'effet et d'implantation sont adéquates.

5. Stratégie de recherche

La présentation des stratégies de recherche (devis quasi expérimental avec groupe-contrôle non équivalent et recherche synthétique comparative) est adéquate.

6. Population à l'étude, définition des variables et collecte des données

La composition de la population à l'étude et la constitution de l'échantillon sont clairement exposées (p.172). Dans l'ensemble, la définition des variables et les sources de données ainsi que les instruments utilisés pour chacune des stratégies de recherche sont bien présentés. Toutefois, le bloc «variables socio-démographiques» (p.171) pour l'évaluation de l'effet ne doit pas être inclus dans les variables dépendantes mais dans des variables intermédiaires dont on veut contrôler l'influence lors de l'appréciation des effets de la formation. Enfin, certaines caractéristiques organisationnelles (p.172) dans l'évaluation de l'implantation (par exemple l'appui de la direction de l'école ou l' appui du comité de parents) ne devraient pas varier d'un professeur à l'autre dans une même école, ce qui limite la possibilité de les utiliser dans cette analyse.

7. Analyse des données

Cette section est succincte et, comme le souligne l'auteure, sera élaborée en consultant un statisticien.

EXPOSÉ

ÉVALUATION DU PROJET D'IMPLANTATION DU GUIDE
INTERVENTION, ADOLESCENCE MTS

1. Identification et formulation du problème

Les maladies transmissibles sexuellement (MTS) constituent aujourd'hui un problème majeur de santé publique (cf. Rochon , 1). Depuis le début des années 70, l'incidence de ces maladies, chez les adolescents de 15 à 19 ans, ne cesse d'augmenter (2, 3 et 4). Au Québec, les dernières statistiques disponibles démontrent que, chez les femmes, le taux de gonorrhée le plus élevé est observé parmi le groupe d'âge des 15-19 ans (5). Le nombre des infections à chlamydia trachomatis, quant à lui, s'accroît également chez les jeunes. De 1980 à 1986, le nombre de cas d'infection rapportés a augmenté de cinq fois au Canada, et c'est chez les adolescents de 15 à 19 ans que cette augmentation a été la plus marquante (6). Or, les cervicites à gonocoques ou chlamydia, chez la femme, sont associées à un risque d'extension de l'infection vers l'utérus et les trompes (salpingite) de l'ordre de 12 à 30 % (3). Quant aux séquelles d'un seul épisode de salpingite, elles se traduisent par l'infertilité chez environ 21 % des femmes atteintes et par une augmentation, de six à dix fois, du risque de grossesse ectopique (4).

L'apparition du syndrome d'immunodéficience acquise (SIDA), en 1981, et sa propagation ininterrompue assombrissent encore davantage ce tableau. Malgré un nombre infime d'adolescents de 15 à 19 ans atteints du SIDA au Québec, soit cinq en date du 15 novembre 1988 (7), la longue période d'incubation séparant l'infection au virus de l'immunodéficience humaine (VIH) et le développement du SIDA fait en sorte qu'un certain nombre de sidéens âgés de 20 à 29 ans ont probablement été infectés, avant l'âge de 20 ans (8). Or, 21,4 % des sidéens appartenaient à ce groupe d'âge en novembre dernier (7).

Étant donné l'ampleur et la gravité du problème des MTS et du SIDA, les experts en santé publique considèrent les adolescents comme un des groupes devant recevoir, en priorité, des programmes d'information et d'éducation destinés à prévenir ces maladies (9). Une des façons d'atteindre cet objectif réside dans l'implantation d'un programme d'éducation à la santé en milieu scolaire. Le «School Health Education Evaluation» (SHEE) a en effet démontré qu'à l'école, l'éducation à la santé est un moyen efficace de développer, chez les étudiants, des connaissances, des attitudes et des comportements favorables à la santé (10). L'efficacité d'un programme d'éducation à la santé repose cependant sur la compétence de professeurs qualifiés, apportant des expériences structurées aux étudiants (10, 11, 12, 13, 14, 15 et 16). De plus, les stratégies d'intervention utilisées dans ces programmes semblent également être un facteur important en ce qui a trait à leur efficacité. Ainsi, des programmes utilisant des techniques comme l'inoculation au stress, l'affirmation de soi, la résolution de problème, l'entraînement aux habiletés sociales, à la résistance aux pressions des pairs et à la prise de décision ont amené des modifications de comportement dans le sens voulu, dans des programmes d'éducation à la santé en milieu scolaire et ce, principalement dans le domaine de la prévention du tabagisme (9, 17, 18, 19, 20 et 21).

Quoique la majorité des programmes d'éducation sexuelle à l'école ayant été évalués démontre une amélioration des connaissances (22, 23, 24, 25, 26, 27, 28 et 29), que certains attestent une modification des attitudes vers le pôle libéral (24, 28, 29 et 30), tandis que d'autres n'indiquent aucune modification des attitudes (22 et 23), la plupart n'ont pas réussi à démontrer un effet significatif sur différents comportements sexuels tels la fréquence des relations sexuelles, le taux d'utilisation de contraceptifs ou encore le nombre de grossesses (9, 22, 27 et 28). Quelques programmes d'éducation sexuelle ont cependant eu une influence positive sur le comportement des adolescents. Ainsi, en Suède, un programme d'éducation sexuelle basé sur l'apprentissage du processus de prise de décision a entraîné une diminution du taux de grossesses et de MTS à l'adolescence et une augmentation de l'usage de contraceptifs (25). Un autre programme intégrant des activités d'éducation sexuelle et des services médicaux dispensés dans des locaux de l'école a montré, après trois ans, une chute majeure du nombre de grossesses et des taux de fertilité (22). Finalement, un programme récent, axé sur l'habileté à résister à la pression des pairs et visant à retarder l'âge de la première relation sexuelle a été testé auprès d'adolescents de 11-12 ans et de 13-15 ans. Les résultats préliminaires indiquent que, pour une période variant entre six mois et deux ans après la fin du programme, 10 % des adolescents du groupe expérimental ayant participé à l'enquête de suivi avaient des relations sexuelles, comparativement à 28 % au niveau national pour le même groupe d'âge (26). À la lumière de ces informations, plusieurs auteurs recommandent de baser les interventions de prévention des MTS et du SIDA sur les stratégies d'acquisition d'habiletés, plutôt que sur la transmission d'informations biomédicales (9, 11, 26 et 29).

Au Québec, le volet *Éducation à la sexualité* du programme FPS (Formation personnelle et sociale) fournit un cadre approprié à l'implantation d'un programme scolaire de prévention des MTS, à l'intention des adolescents. Or, la formation des professeurs et la distribution d'outils pédagogiques sont deux des nombreux facteurs pouvant influencer l'implantation de nouveaux programmes dans le milieu scolaire (35, 16 et 36). Au moins deux études signalent que le manque de formation du personnel représente une des barrières à l'implantation de programmes d'éducation sexuelle (12 et 15).

Plusieurs autres articles soulignent l'importance d'une formation adéquate des professeurs pour la réussite de programmes en éducation sexuelle (10, 11, 12, 13, 14, 15 et 16). De plus, une étude effectuée par le DSC Charles-LeMoyne, en mai-juin 1988, auprès de 33 professeurs de FPS au deuxième cycle du secondaire et de douze infirmières scolaires du territoire, a montré que 63 % d'entre eux aimeraient profiter de journées de formation sur le thème des MTS et apprécieraient posséder un guide d'activités pour faciliter l'enseignement de ce sujet (32). D'ailleurs, les barrières invoquées par ces intervenants, face au contenu des cours portant sur les MTS, ont été, par ordre de fréquence, le manque de connaissances sur les MTS et le manque d'exemples à donner aux jeunes pour leur faire comprendre certaines notions du cours. Cette étude nous a également permis de constater que les principales méthodes pédagogiques utilisées par les professeurs dans leurs cours sur les MTS étaient le cours magistral (89,4 %) et les discussions de groupe (84,2 %), mais que seulement 23,6 % d'entre eux se servaient des jeux de rôles. Or, les jeux de rôles sont un des moyens les plus utilisés, pour faciliter l'acquisition d'habiletés sociales (33, 34, 17, 18, 20 et 21).

Compte tenu de ces résultats et afin de diminuer la transmission des MTS et du SIDA chez les adolescents, le DSC Charles-LeMoyne a entrepris l'élaboration d'un programme de formation destiné aux professeurs de FPS de son territoire et dont le but est d' :

> «Améliorer la qualité et l'efficacité des interventions de prévention des MTS
> réalisées à l'intérieur des cours d'éducation à la sexualité du programme FPS
> au 2e cycle du secondaire, dans les écoles publiques situées sur le territoire
> du DSC Charles-LeMoyne».

Les objectifs généraux de ce programme sont (par ordre décroissant d'importance) :

• Connaître les méthodes d'intervention favorisant l'acquisition d'habiletés sociales et la résolution de problèmes et être capable de les appliquer à la prévention des MTS;

• Promouvoir l'utilisation du guide pédagogique *Intervention, Adolescence MTS* dans la planification et la réalisation d'activités en prévention des MTS;

• Améliorer les connaissances des intervenants scolaires, en ce qui a trait aux MTS et à leur prévention;

• Prendre conscience des valeurs et des attitudes soulevées par la problématique de la prévention des MTS.

• Se sensibiliser à certains aspects pertinents du vécu sexuel adolescent pour la planification et l'élaboration d'interventions reliées à la prévention des MTS;

• Développer un esprit critique face aux divers outils ou méthodes pédagogiques utilisés en prévention des MTS, de manière à pouvoir les adapter à divers contextes ou situations.

Les objectifs spécifiques ainsi que les activités du programme sont détaillés à l'annexe I du projet.

Ce programme de formation a été accepté par les commissions scolaires Chambly et Le Goéland qui regroupent toutes les écoles secondaires publiques du territoire, sauf une. À la commission scolaire Chambly, le programme sera offert aux professeurs de FPS de secondaire IV, soit à 25 personnes, lors des deux journées pédagogiques suivantes: le 2 février et le 21 avril 1989. À la commission scolaire Le Goéland, tous les professeurs de FPS au deuxième cycle du secondaire assisteront à la formation, soit un total de 14 personnes, et le programme se déroulera lors des journées pédagogiques du 3 février et du 21 avril 1989. Le programme comprend un cours magistral sur les aspects biomédicaux des MTS d'une durée de trois heures, donné par les deux médecins du programme de prévention des MTS et du SIDA du DSC. Par la suite, neuf heures seront consacrées aux aspects psychosociaux touchés par la problématique des MTS de même qu'aux stratégies d'intervention et à la familiarisation avec le guide pédagogique *Intervention, Adolescence MTS* , remis à chaque professeur. Cette partie du programme est assumée par une éducatrice sexologue et les moyens pédagogiques utilisés sont les suivants: réflexion personnelle, discussion de groupe, planification d'interventions sur le thème des MTS et application des stratégies d'intervention (acquisition d'habiletés sociales et résolution de problèmes), en petits groupes.

Dans l'évaluation de ce programme, on se propose de:

• Déterminer dans quelle mesure le programme de formation (variable indépendante) a modifié les connaissances, les attitudes et les pratiques pédagogiques (variables dépendantes) des professeurs;

• Déterminer quels sont les facteurs personnels et contextuels les plus importants (variables indépendantes) permettant de prédire la réalisation des interventions de prévention des MTS suggérées dans le guide *Intervention, Adolescence MTS* et dans le programme de formation (variable dépendante).

L'évaluation de ce programme, prévue lors de sa planification, est un moyen pour le DSC Charles-LeMoyne de tester dans quelle mesure le programme de formation personnelle et sociale peut servir de porte d'entrée pour divers programmes scolaires d'éducation à la santé (prévention des traumatismes routiers, du tabagisme, de la toxicomanie, etc.) et de circonscrire les principaux facteurs favorables à leur implantation.

b) État des connaissances

1. *Évaluation des programmes d'éducation sexuelle*

Dans le cadre de cette recherche évaluative, nous avons restreint notre analyse aux évaluations de programmes d'éducation sexuelle destinés à des professeurs ou à des spécialistes du domaine socio-sanitaire ayant déjà une expérience professionnelle.

Soulignons au départ que nous n'avons trouvé aucune évaluation de programme de formation destiné à des professeurs et axé spécifiquement sur la transmission des connaissances et des habiletés nécessaires à la réalisation d'interventions préventives en matière de MTS ou de contraception. Cependant, nous avons pu recenser 13 études évaluatives de programmes d'éducation sexuelle destinés à des professeurs ou à des spécialistes. Ce sont ces études que nous allons analyser.

1.1 *Méthodologie employée*

Deux des 13 études retenues ne précisent pas le devis de recherche utilisé pour évaluer leur programme: Brantlinger (24) et Barnum (24). Six recherches, soit celles de Doyle (24), Flatter (24), Poinsett (24), Richardson (24), Smith *et al* . (38), Flaherty et Smith (40), ont opté pour une étude de cas simple (*one case shot study*). Quant aux cinq autres études, celles de Dykstra (24), Karas et Elliot (37), Carter et Frankel (39), Bennett, Taylor et Ford (41), Tousignant (42), elles ont utilisé un devis quasi expérimental de type prétest et post-test avec groupe-témoin non aléatoire (*Non Equivalent Control Group*).

1.2 *Description des programmes (variable indépendante)*

Le contenu et la forme des programmes varient énormément d'un à l'autre. Ainsi, la durée des 13 programmes évalués varie d'une journée (Brantlinger, 24) à six semaines (Karas et Elliot, 37). Au total, quatre programmes décrivent leurs composantes sous le vocable *Ateliers de travail* (Poinsett, 24; Richardson, 24; Barnum, 24 et Bratlinger, 24). Une étude (Karas et Elliot 38) mentionne, dans son programme, des activités destinées à préparer un curriculum et un plan de cours. La particularité du programme de Flaherty et Smith (40) réside dans le fait qu'un premier groupe de professeurs est formé et reçoit un guide pédagogique, pour ensuite offrir le même programme à leurs collègues. Quant aux autres programmes, ils préconisent diversement des activités telles que les tables rondes, les discussions en grands et en petits groupes, les jeux de rôles, les lectures et les expériences pratiques, l'utilisation de films et de matériel audio-visuel, le recours à des conférenciers et l'organisation d'activités de clarification de valeurs. Aucune des 13 études n'a tenté de mesurer précisément l'effet d'une activité ou d'une série d'activités particulières à l'intérieur du programme. La variable indépendante (le programme) ne semble pas avoir été divisée en composantes, jusqu'à maintenant, dans les recherches évaluatives empiriques portant sur ce sujet.

1.3 Effets mesurés (variables dépendantes)

Toutes les études, sauf celles de Flatter (24), de Poinsett (24) et de Brantlinger (24) mesuraient les connaissances. Pour ce faire, le test le plus utilisé a été le SKAT (*Sexual Knowledge and Attitude Test*). Toutes les études ont également permis de mesurer les attitudes, et c'est encore le SKAT qui a été le test le plus souvent employé. Selon Tousignant (42) cependant, cet instrument ne serait pas adéquat comme outil de mesure des connaissances et il aurait avantage à être modifié. D'autres instruments de mesure ont également été mis au point, dans le cadre de ces études évaluatives. Ainsi, dans son étude, Doyle (24) a utilisé le vidéo pour filmer des entrevues et ainsi évaluer les habiletés à conseiller des participants, avant et après le programme. Poinsett (24) s'est servi d'un instrument d'auto-évaluation pour mesurer le degré d'engagement des participants dans l'enseignement de l'éducation sexuelle, à la suite du programme. Tousignant (42), lui, a conçu un instrument d'auto-évaluation pour juger de l'atteinte des objectifs du programme et a élaboré un deuxième instrument pour évaluer la satisfaction des participants. Finalement, deux autres études ont recueilli d'autres variables, à savoir l'âge, le sexe, le niveau d'éducation, le poste scolaire, la religion, la situation de famille, le degré d'intelligence (Test de Wechsler) et les années d'expérience dans l'enseignement (39, 41). Dans ces études, on a tenté d'évaluer dans quelle mesure ces variables pouvaient prédire les attitudes sexuelles des populations étudiées.

1.4 Résultats

Au total, sept études sur treize ont démontré une augmentation *significative* des connaissances à la suite du programme, mais seulement trois de celles-ci étaient des études ayant un devis quasi expérimental (Dykstra, 24; Bennett, Taylor et Ford, 41; Carter et Frankel, 39). Toutes les études ayant évalué les connaissances ont cependant permis d'observer une augmentation des connaissances, sauf celle de Tousignant (42), réalisée au Québec. En ce qui concerne la modification des attitudes, six études ont montré un changement *significatif,* dans le sens d'une plus grande tolérance (Flatter, 24; Richardson, 24; Brantlinger, 24; Dykstra, 24; Flaherty et Smith, 40; Bennett, Taylor et Ford, 41), mais seulement deux de celles-ci avaient un devis quasi expérimental (Dykstra, 24; Bennett, Taylor et Ford, 41). Quant aux études n'ayant pas relevé de modification des attitudes, deux sur trois sont du type quasi expérimental (Carter et Frankel, 39; Tousignant, 42). Donc, on peut dire que jusqu'à maintenant, les programmes d'éducation sexuelle offerts aux professeurs améliorent généralement leurs connaissances en sexualité, mais que l'effet de ces programmes sur la modification des attitudes est loin d'être prouvé. Or, une étude de type transversale (13), réalisée en 1978, auprès d'une population de 269 éducateurs à la santé, a montré que l'attitude du professeur envers la sexualité était la caractéristique personnelle la plus importante, en ce qui regarde le choix des thèmes reliés à la sexualité qu'il incluait dans son cours d'éducation sexuelle. Les autres facteurs (âge, sexe, situation de famille, nombre d'enfants, religion, orientation politique, grosseur de la communauté où l'école est située, années d'expérience en enseignement et détention d'un diplôme de maîtrise en éducation à la santé) n'étaient pas fortement reliés à ces choix. Quoiqu'une étude transversale ne permette pas d'établir un lien de causalité, ce résultat laisse songeur, quand on constate les effets de plusieurs programmes d'éducation sexuelle offerts aux professeurs ou aux spécialistes, dans le domaine des attitudes.

Le degré d'engagement dans l'enseignement de l'éducation sexuelle a été mesuré dans l'étude de Poinsett (24). Les résultats de cette évaluation montrent que cet intérêt a augmenté à la suite du programme. Cependant, le devis utilisé (une étude de cas, c'est-à-dire *one case shot study*) de même que l'instrument de mesure employé (une auto-évaluation) enlèvent beaucoup de crédit à ces résultats.

En dernier lieu, soulignons que l'étude de Bennett, Taylor et Ford (41) a démontré une association significative entre le niveau d'éducation et le changement d'attitudes dans le sens désiré. Quant à celle de Carter et Frankel (39), elle a montré que l'âge et le nombre d'années d'enseignement contribuent de façon significative à prédire les attitudes vis-à-vis des sujets suivants: homosexualité, promiscuité sexuelle, avortement et masturbation. Les professeurs plus âgés et plus expérimentés se révèlent moins tolérants.

De l'ensemble de ces informations découlent plusieurs constats : la recherche évaluative des programmes d'éducation sexuelle destinés aux professeurs ou aux spécialistes souffre de faiblesse méthodologique, de sorte que la validité des résultats observés est souvent faible. Le devis expérimental n'est presque jamais utilisé. De plus, aucune recherche n'a tenté de diviser son programme en diverses composantes, de manière à évaluer l'efficacité de telle ou telle partie du programme. Par conséquent, on n'a aucune idée des composantes des programmes ayant une efficacité réelle de même que de l'efficacité relative des diverses parties d'un programme. Cette information serait pourtant extrêmement utile aux planificateurs. Une autre faiblesse réside dans le fait qu'aucune de ces études, sauf celles de Poinsett (24) et de Doyle (24) n'a tenté de mesurer l'effet de ces programmes sur les pratiques professionnelles ultérieures. Or, si l'efficacité de ces programmes, relativement à l'amélioration des connaissances, semble assez bien établie, leur efficacité à modifier les attitudes et les pratiques professionnelles est loin d'être démontrée. En ce sens, une étude évaluative qui voudrait mesurer, chez les professeurs, les effets d'un programme d'éducation axé sur la prévention des MTS, en termes d'attitudes et d'activités d'enseignement, apporterait des connaissances supplémentaires et inédites dans le deuxième cas.

Le modèle théorique utilisé pour cette évaluation est le suivant:

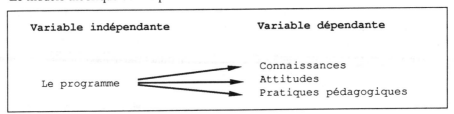

2. Évaluation de l'implantation

Depuis quelques années, le processus d'implantation des programmes sociaux retient de plus en plus l'attention des évaluateurs (46). Les études empiriques de ce processus, effectuées jusqu'à présent, ont fait appel à différentes perspectives théoriques (43, 44, 46) et à une diversité de devis de recherche (43). De fait, aucune théorie unifiée de l'implantation ne peut actuellement servir de paradigme pour l'analyse de ce processus (46). Malgré cette diversité d'approches, la plupart des évaluateurs de l'implantation s'accordent sur le fait qu'une perspective théorique tirée du champ de connaissance des systèmes sociaux est nécessaire pour guider la recherche dans ce domaine (43). Cette perspective postule que le niveau d'implantation d'un programme peut être influencé par plusieurs éléments du système dans lequel il s'inscrit. Schreirer (43) propose six catégories d'éléments susceptibles de contribuer à l'explication du niveau d'implantation: le programme lui-même, l'apport des clients au programme, les caractéristiques du personnel devant appliquer le programme, les aspects opérationnels des unités de travail (routines, canaux de communication, attentes des superviseurs), la structure organisationnelle et les pressions de l'environnement.

Dans le domaine de l'éducation, plusieurs chercheurs se sont intéressés au processus d'implantation d'innovations en milieu scolaire (35, 44, 47, 49). Fullan et Pomfret (47), dans une revue de documentation sur la recherche dans le domaine de l'implantation de nouveaux programmes éducatifs

(curriculum), ont identifié, en 1977, quatre catégories de déterminants de l'implantation: les caractéristiques de l'innovation, la stratégie d'implantation utilisée, les caractéristiques de l'unité d'adoption et les caractéristiques socio-politiques macroscopiques. Basch et Sliepcevich (35) proposaient,
quelques années plus tard, un cadre conceptuel adapté au milieu scolaire pour les évaluations
d'implantation. Ce cadre s'avérait assez similaire à celui de Fullan et Pomfret et incluait les catégories
de variables suivantes: l'innovation elle-même, les caractéristiques de l'innovateur, des utilisateurs
potentiels et de l'environnement, de même que les facteurs reliés au moment propice ou non de
l'implantation de l'innovation (par exemple les périodes de réajustements fiscaux). Actuellement, à
l'intérieur de ces grandes catégories de variables, il est difficile de se prononcer sur les facteurs
spécifiques qui prédisent le degré de mise en œuvre d'un nouveau programme d'éducation.

En ce qui concerne la variable dépendante dans ce type de recherche, c'est-à-dire le degré
d'implantation d'un programme, il importe de bien la définir afin de la distinguer du processus d'adoption (décision d'adopter une innovation) et de celui de la diffusion (processus par lequel une innovation se transmet d'un individu ou d'une organisation à l'autre), (35). Selon Scheirer et Rezmovic (50),
l'expression *degré d'implantation* signifie l'étendue du changement survenu dans la direction d'une
utilisation appropriée et maximale de l'innovation, à un certain moment donné dans le temps. Plus
simplement, on peut dire que le degré d'implantation fait référence au degré avec lequel le programme
est administré tel qu'il a été planifié (43). La mesure de cette variable a donné lieu à plusieurs
approches. Dans le domaine de l'éducation, Basch (44) en a recensé cinq : l'examen superficiel où
le professeur évalue lui-même l'étendue de l'implantation du programme en fonction de ses activités,
la mesure des composantes clés du programme, la mesure d'activités spécifiques du programme,
l'évaluation du processus d'enseignement à l'intérieur de la classe et un modèle liant divers niveaux
d'utilisation selon les préoccupations du professeur (*Concerns Based Adoption Model*).

Compte tenu de ce qui précède et du contexte dans lequel se déroulera cette recherche, quelques précisions s'imposent avant l'élaboration du modèle théorique qui soutiendra l'analyse d'implantation. Dans le cadre de cette recherche, certaines catégories de variables indépendantes décrites dans
la documentation ne pourront pas expliquer les variations du degré de mise en œuvre du programme,
pour la simple raison que ces variables seront identiques pour chacun des utilisateurs éventuels. Ainsi,
les caractéristiques de l'innovation, celles de l'innovateur de même que la stratégie d'implantation ne
varieront pas au sein de la population de professeurs ayant participé au programme de formation et,
par conséquent, elles ne pourront être considérées comme des prédicteurs du degré d'implantation
des activités pédagogiques reliées à la prévention des MTS parmi les professeurs. Pour cette raison,
nous ne retiendrons que deux grandes catégories de variables dans le modèle conceptuel, à savoir les
caractéristiques personnelles des professeurs et les caractéristiques du contexte organisationnel.

Le modèle théorique utilisé pour cette évaluation est le suivant:

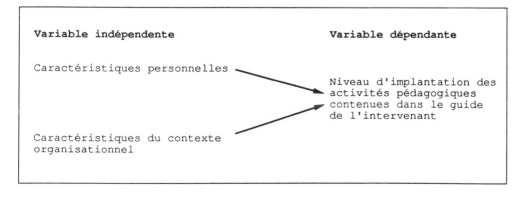

c) Formulation des hypothèses de recherche

1. Évaluation des effets

La présente recherche entend vérifier les hypothèses suivantes:

- Le programme (variable indépendante) améliorera les connaissances des professeurs (variable dépendante);

- Le programme modifiera les attitudes des professeurs, dans le sens d'une plus grande tolérance;

- Le programme augmentera le nombre d'heures consacrées à la prévention des MTS;

- Le programme modifiera les pratiques pédagogiques des enseignants, dans le même sens que celles indiquées dans les objectifs du programme.

2. Évaluation de l'implantation

Les caractéristiques personnelles des professeurs et celles du contexte organisationnel influenceront le degré d'implantation du guide.

d) Méthode et stratégies de recherche

1. Devis de recherche

L'évaluation des effets du programme se fera à l'aide d'une étude explicative utilisant l'expérimentation provoquée. Un devis de recherche quasi expérimental de type prétest–post-test avec groupe-témoin non aléatoire *(Non Equivalent Control Group*) sera employé.

01	X	02
01		02

L'évaluation de l'implantation du programme adoptera une stratégie de recherche synthétique comparative. Par le biais d'une étude corrélationnelle, les variations naturelles dans le degré d'utilisation par les professeurs des outils pédagogiques et des stratégies d'interventions enseignées lors du programme, autrement dit, le niveau d'implantation (variable dépendante) sera mis en relation avec les caractéristiques personnelles des professeurs et celles du contexte organisationnel (variables indépendantes). Il sera alors possible de déterminer quelles sont les caractéristiques qui prédisent le mieux le degré d'implantation atteint.

2. Définition opérationnelle des variables

2.1 Évaluation des effets

2.1.1 Variable indépendante

La variable indépendante est le programme tel qu'il est décrit à l'Annexe I.

2.1.2 Variables dépendantes

- Données socio-démographiques
  Âge, sexe, années d'expérience dans l'enseignement, degré de scolarité, formation anté-
  rieure sur les MTS.

- Connaissances sur les MTS
  Les connaissances sur les modes de transmission, les principaux symptômes, les complica-
  tions, les facteurs de risque, les moyens de prévention, les traitements et la fréquence des
  maladies chez les adolescents seront évaluées, à l'aide de 20 questions de type *vrai ou faux*.
  Les mêmes questions seront utilisées dans le prétest et le post-test.

- Attitudes
  Les attitudes envers l'éducation sexuelle, le rôle de l'école dans le domaine de la prévention
  des MTS, les messages de prévention des MTS (abstinence et utilisation du condom), les
  relations sexuelles chez les adolescents, les personnes ayant une MTS, l'homosexualité et
  la sexualité en général seront mesurées. Les énoncés concernant chacune de ces attitudes
  seront établis en se basant sur une échelle d'attitudes évaluant l'orientation libérale par comparaison avec l'orientation conservatrice, en matière de sexualité (50). Chaque énoncé sur
  les attitudes sera mesuré à l'aide d'une échelle de type Lickert en cinq points allant de *for-*
  tement en désaccord à *fortement en accord* .

- Pratiques pédagogiques
  Les pratiques pédagogiques seront déterminées par le nombre d'heures consacrées aux
  MTS dans le cadre du cours de formation personnelle et sociale (FPS) et par la fréquence
  d'utilisation, dans ces cours, des outils pédagogiques suivants: cours magistral, discussion
  de groupe, matériel audio-visuel, jeux de rôle, travail de recherche, information écrite
  sur les MTS, démonstration de l'utilisation du condom. La fréquence d'emploi sera mesurée à l'aide d'une échelle de fréquence verbale *(Verbal Frequency Scale)* en cinq points
  allant de *toujours* à *jamais* . (Voir le questionnaire qui sera utilisé à l'Annexe II.)

2.2 *Évaluation de l'implantation*

2.2.1 Variables indépendantes

Les variables indépendantes retenues peuvent être classées en deux grandes catégories:

- Les caractéristiques personnelles
  - Âge;
  - Sexe;
  - Nombre d'années d'expérience dans l'enseignement;
  - Attitudes envers les adolescents, l'éducation sexuelle, le rôle de l'école dans le domaine
    de la prévention des MTS (abstinence et utilisation du condom), les relations sexuelles
    chez les adolescents, les personnes ayant une MTS, l'homosexualité et la sexualité en
    général. La façon de mesurer ces attitudes a été décrite à la section précédente;
  - Formation académique de base: sciences pures, mathématiques, sciences humaines,
    langues, religion–morale ou philosophie, autre.

- Les caractéristiques du contexte organisationnel
  - Catégorie d'emploi: temps plein ou temps partiel;
  - Nombre de matières différentes enseignées;
  - Enseignement à un ou à plusieurs niveaux du secondaire (I, II, III, IV, V);
  - Appui de la direction de l'école au programme FPS;
  - Appui du comité de parents au volet *Éducation à la sexualité* du programme FPS;
  - Degré de coopération entre les professeurs de FPS de l'école au plan de la préparation des cours. (Voir une ébauche de l'instrument de mesure à l'Annexe III.)

2.2.2 Variables dépendantes

Le degré d'implantation du programme sera déterminé par la fréquence d'utilisation des activités pédagogiques suggérées dans le guide de l'intervenant et de celles proposées lors de la formation. L'échelle de fréquence verbale en cinq points sera employée pour mesurer le degré d'utilisation de chacune de ces activités. (Voir une ébauche de l'instrument de mesure à l'Annexe IV.)

3. Sélection et définition de la population à l'étude

Le groupe expérimental sera composé de professeurs de formation personnelle et sociale (FPS) au deuxième cycle du secondaire, rattachés aux commissions scolaires situées sur le territoire du DSC Charles-LeMoyne. Le groupe-témoin sera composé de la totalité des professeurs concernés par le programme, soit 25 professeurs de secondaire IV, rattachés à la Commission scolaire de Chambly (cette commission scolaire ayant refusé que les professeurs des secondaires III et V reçoivent le programme de formation) et 14 professeurs des secondaires III, IVet V, rattachés à la Commission scolaire Le Goéland.

Le groupe-témoin sera composé de 12 professeurs de FPS des secondaires III, IV et V de la Commission scolaire Chomedey-Laval, 5 professeurs de FPS des secondaires III, IV et V de la Commission scolaire de Valleyfield, 13 professeurs de FPS des secondaires IV et V de la Commission scolaire Yamaska et de 10 professeurs des secondaires III, IV et V de la Commission scolaire Sainte-Croix. La sélection de ces commissions scolaires a été faite en se basant sur leur proximité avec le territoire du DSC Charles-LeMoyne, de façon à ce que les conditions de travail de ces professeurs ressemblent le plus étroitement possible à celles du groupe-témoin; le deuxième critère de sélection étant leur acceptation de participer à la recherche.

4. Sources de données

Les données seront recueillies directement auprès des professeurs faisant partie du groupe expérimental et du groupe-témoin.

5. Procédures de collecte des données

5.1 Évaluation des effets

Toutes les données seront recueillies à l'aide de questionnaires auto-administrés. Chaque questionnaire sera prétesté auprès des professeurs de FPS d'une commission scolaire ne faisant pas partie du groupe expérimental ni du groupe-témoin, en l'occurrence la Commission scolaire de Saint-Jean-sur-le-Richelieu.

En ce qui concerne le groupe expérimental, la collecte des données se fera de la façon suivante: le prétest sera administré lors du premier jour de la formation, avant le début de celle-ci. Quant au post-test, il sera administré en deux parties. La première partie, qui portera sur les connaissances et les attitudes, sera administrée et recueillie à la fin de la dernière journée de formation. La deuxième partie, qui portera sur les pratiques pédagogiques (les mêmes que celles identifiées au prétest), sera distribuée aux professeurs à la fin de la formation. On demandera alors à ceux-ci de répondre à cette partie du post-test, après avoir donné leurs cours sur la prévention des MTS en mai et de retourner ensuite le questionnaire au DSC Charles-LeMoyne, en utilisant l'enveloppe-réponse affranchie qui leur aura été remise.

Dans le cas du groupe-témoin, chaque professeur recevra, par la poste, les questionnaires prétest et post-test. Deux envois à trois semaines d'intervalle sont prévus afin de maximiser le taux de réponse. À chaque envoi, le questionnaire sera accompagné d'une enveloppe-réponse affranchie pour le retour.

Il importe de souligner ici que tous les questionnaires respectent l'anonymat, mais qu'un système de codage permettra d'apparier les questionnaires prétest et post-test de chaque répondant (Voir Annexe II).

5.2 *Évaluation de l'implantation*

L'évaluation de l'implantation ne se fera évidemment que dans le groupe expérimental. Les données nécessaires à cette évaluation seront recueillies à l'aide d'un questionnaire qui sera intégré à la deuxième partie du post-test utilisé dans l'évaluation des effets, tel que décrit ci-dessus. Par conséquent, les caractéristiques personnelles des professeurs et celles du contexte organisationnel seront recueillies en même temps que les données sur les pratiques pédagogiques. Des questions spécifiques portant sur la fréquence d'utilisation des activités suggérées dans le guide *Intervention, Adolescence MTS* et de celles proposées lors de la formation seront ajoutées à celles concernant les pratiques pédagogiques de l'évaluation des effets.

6. Plan de l'étude
   (Voir page 175)

7. Analyse des données

7.1 *Évaluation des effets*

Les données recueillies pour cette évaluation seront analysées à l'aide du test χ^2 qui permet de comparer les répartitions obsevées dans un tableau de fréquence, construit à partir de deux ou de plusieurs variables qualitatives.

7.2 *Évaluation de l'implantation*

Un biostatisticien sera consulté pour l'analyse des données de cette partie du protocole.

8. *Portée de l'étude*

L'évaluation des effets de ce programme permettra au DSC Charles-LeMoyne de porter un jugement sur la stratégie utilisée par le programme de prévention des MTS, pour réduire l'incidence de ces maladies chez les adolescents. Dans l'éventualité où les hypothèses de cette recherche seraient confirmées, le DSC intensifierait ses liens avec le milieu scolaire. Les prédicteurs du niveau d'implantation, identifiés dans la deuxième partie de cette recherche, permettraient alors d'élaborer des stratégies précises pour améliorer le degré d'implantation des interventions de prévention des MTS proposées par le DSC. Par contre, si les hypothèses de recherche étaient infirmées, le DSC devrait alors modifier l'ensemble de sa stratégie de prévention auprès des adolescents.

PLAN DE L'ÉTUDE

Étapes	Déc.	Janv.	Fév.	Mars	Avril	Mai	Juin	Juillet	Août	Sept.
a) *Évaluation des effets*										
1. Élaboration du programme et du protocole d'évaluation			——							
2. Prétest et modification subséquente du questionnaire				——						
3. Administration du prétest			X							
4. Administration du post-test:										
partie I					X					
partie II						X				
5. Analyse des données							——			
6. Interprétation des résultats								——		
7. Rédaction du rapport									——	
b) *Évaluation de l'implantation*										
1. Élaboration du questionnaire			——							
2. Prétest et modifications subséquentes				——						
3. Administration du questionnaire (en même temps que la partie II du post-test de l'évaluation des effets)						X				
4. Analyse des données							——			
5. Interprétation des résultats								——		
6. Rédaction du rapport									——	

BIBLIOGRAPHIE

1. *RAPPORT DE LA COMMISSION D'ENQUÊTE SUR LES SERVICES DE SANTÉ ET LES SERVICES SOCIAUX* , Les Publications du Québec, Dépôt légal - 1er trimestre 1988.

2. CATES, W.J.R. et J.L. RAUH. "Adolescents and Sexually Transmitted Diseases: An Expanding Problem", *Journal of Adolescent Health Care* , 1985, 6: 257-261.

3. MCGREGOR, J.A. "Adolescents Misadventures with Urethritis and Cervicitis", *Journal of Adolescent Health Care,* 1984, 6: 286-297.

4. WASHINGTON, A.E., SWEET, R.L. et M.A.B. SHAFER. "Pelvic Inflammatory Disease and its Sequelae in Adolescents", *Journal of Adolescent Health Care,* 1985, 6: 298-310.

5. MINISTÈRE DE LA SANTÉ ET DES SERVICES SOCIAUX DU QUÉBEC (1987), "Maladies vénériennes", *Rapport annuel 1985,* Québec.

6. SANTÉ ET BIEN-ÊTRE SOCIAL CANADA. "Supplément, Maladies transmises sexuellement au Canada 1986", *Rapport hebdomadaire des maladies au Canada,* Mars 1988, vol. 14SIF.

7. REMIS, R. *Surveillance des cas du syndrome d'immunodéficience acquise (SIDA), Québec, cas cumulatifs 1979-1988,* mise à jour, n° 88- 6, Bureau régional des maladies infectieuses, Regroupement des DSC du Montréal Métropolitain.

8. ANONYME. *Guidelines for School Programs to Prevent the Spread of AIDS,* News afp., March 1988, 419-425.

9. BROWN, L.K. et G.K. FRITZ. "AIDS Education in the Schools: A Literature Review as a Guide for Curriculum Planning", *Clinical Pediatrics,* July 1988, 27 (7): 311-316.

10. ALLENSWORTH, D.D. "Wolford, Schools as Agents for Achieving the 1990 Health Objectives for the Nation", *Health Education Quarterly,* Spring 1988, 3-15.

11. HAFFNER, D.W. "AIDS and Adolescents: School Health Education Must Begin Now", *Journal of School Health,* April 1988, 58 (4): 154-155.

12. SCALES, P. et D. KIRBY. "Perceived Barriers to Sex Education: A Survey of Professionals", *The Journal of Sex Research,* 19 (4): 309-326.

13. YARBEC, W.L. et G.P. Jr MCCABE. "Teacher Characteristics and the Inclusion of Sex Education Topics in Grades 6-8 and 9-11", *The Journal of School Health,* April 1981, 288-291.

14. RYAN, I.J. et P.C. DUNN. "Sex Education from Prospective Teachers' View Poses a Dilemma", *The Journal of School Health,* Décembre 1979, 573-575.

15. FETTER, P. "Nonverbal Teaching Behavior and the Health Educator", *The Journal of School Health*, September 1983, 53 (7): 431-432.

16. SCALES, P. "Barriers to Sex Education", *The Journal of School Health*, August 1980, 337-341.

17. COE, R.M., CROUSE, E., COHEN, J.D. et E.B. FISHER. "Patterns of Change in Adolescent Smoking Behavior and Results of a One Year Follow-Up of a Smoking Prevention Program", *The Journal of School Health*, August 1982, 348-353.

18. PERRY, C.L., KILLEN, J. et L.A. SLINKARD. " Peer Teaching and Smoking Prevention among Junior High Students", *Adolescence*, Summer 1980, XV (58): 276-281.

19. PERRY, C.L., KILLEN, J., TELCH, M., SLINKARD, L.A. et B.G. DANAHER. "Modifying Smoking Behavior of Teenagers: A School-Based Intervention", *AJPH*, July 1980, 70 (7): 722-725

20. MCALISTER, A.L., PERRY, C. et N. MACCOBY. "Adolescent Smoking : Onset and Prevention Pediatrics for the Clinician", *Pediatrics*, 1979, 63: 650-658.

21. EVANS, R.I. "A Social Inoculation Strategy to Deter Smoking in Adolescents", *Behavioral Health*, John Wiley & Sons Inc., 765-774.

22. KIRBY, D. "The Effects of Selected Sexuality Education Programs: Toward a More Realistic View", *Journal of Sex Education and Therapy*, Spring-Summer 1985, 11 (1): 28-37.

23. PARCEL, G.S. et D. LUTTMAN. "Evaluation in Sex Education", *The Journal of School Health*, April 1981, 51 (4): 278-281.

24. KILMANN, P.R., WANLASS, R.L., SABALIS, R.F. et B. SULLIVAN. "Sex Education: A Review of its Effects", *Archives of Sexual Behavior*, 1981, 10 (2): 177-205.

25. GAUDREAU, L. *L'adolescent face à l'éducation et à la prévention: possibilités et limites*, Conférence donnée au Colloque de l'Association de Santé publique du Québec sur la santé sexuelle des adolescents, Laval, 21 octobre 1987.

26. HOWARD, M. "Posponing Sexual Involvement among Adolescents, an Alternative Approach to Prevention of Sexually Transmitted Diseases", *Journal of Adolescent Health Care*, 1985, 6: 271-277.

27. KIRBY, D. "Sexuality Education: A More Realistic View of its Effects", *Journal of School Health*, December 1985, 55 (10): 421-424.

28. KIRBY, D. "The Effects of School Sex Education Programs: A Review of the Literature", *The Journal of School Health*, December 1980, 559-563.

29. OBSTFELD, L.S. et A.W. MEYERS. "Adolescent Sex Education: A Preventive Mental Health Measure", *The Journal of School Health*, February 1984, 54 (2): 68-70.

30. VOSS, G.R. "Sex Education: Evaluation and Recommendations for Future Study", Archives of Sexual Behavior, 1980, 9: 37-59.

31. GAUDREAU, L.   " La situation de l'éducation sexuelle au Québec et l'attitude des intervenants", *Apprentissage et socialisation,* juin 1988, 11 (2): 84-94.

32. LESAGE, D. *Étude descriptive effectuée auprès des intervenants enseignant le thème ~MTS~ dans les écoles secondaires situées sur le territoire du DSC Charles-LeMoyne,* DSC Charles-LeMoyne, août 1988.

33. LECROY, C.W. et S.D. ROSE. "Evaluation of Preventive Interventions for Enhancing Social Competence in Adolescents", *Social Work Research and Abstracts,* Summer 1986, 22 (2).

34. ROCHON, A. "Prévenir l'usage du tabac chez les jeunes: une intervention éducative en milieu scolaire, *Psychotropes,* hiver 1985, II (1): 47-55.

35. BASCH, C.E. et E.M. SLIEPCEVICH. "Innovators, Innovations and Implementation: A Framework for Curricular Research in School Health Education", *Health Education,* March-April 1983, 20- 24.

36. GRAHAM, C.A. et M. SMITH. "Operationalizing the Concept of Sexuality Comfort: Applications for Sexuality Educators", *The Journal of School Health,* 54 (11): 439-442.

37. KARAS, S.F. et G.A. ELLIOT. *The Effectiveness of a Sex Education Pro-Program on the Teacher's Sex Knowledge and Attitudes,* Comparative Groups Studies, August 1972, 213-220.

38. SMITH, P., FLAHERTY, C., WEBB. "Training Teachers in Human Sexuality: Effect on Attitude and Knowledge", *Psychological Reports,* 1981, 48: 527-530.

39. CARTER, J.A. et E.A. FRANKEL. "The Effects of a Teacher Training Program in Family Life and Human Sexuality on the Knowledge and Attitudes of Public School Teachers", *The Journal of School Health,* October 1983, 53 (8): 459-462.

40. FLAHERTY, C. et P.B. SMITH. "Teacher Training for Sex Education", *The Journal of School Health,* April 1981, 261-264.

41. BENNETT, V.D.C., TAYLOR, P. et S. FORD. "An Experimental Course in Sex Education for Teachers", *Mental Hygiene,* October 1969, 53 (4): 625-631.

42. TOUSIGNANT, Y. *Évaluation d'un programme de perfectionnement en éducation à la sexualité réalisée auprès d'enseignantes et d'enseignants en exercice,* Thèse de maîtrise en sexologie, UQAM, 1985.

43. SCHEIRER, M.A. *Program Theory and Implementation Theory: Implications for Evaluators, Using Program Theory in Evaluation,* L. Bickman (Ed), Spring 1987.

44. BASCH, C.E. " Research on Disseminating and Implementing Health Education Programs in Schools", *Health Education,* July 1984, 15 (4): 57-66.

45. MCLAUGHLIN, M.W. *Implementation Realities and Evaluation Design in Social Science and Social Policy,* Scotland RL, Monk MM (Ed), Beverly Hills (CA), Sage Publications, 1985.

46. ELMORE, R.F. " Organizational Models of Social Program Implementation, *Public Policy,* 1978, 26: 185-228.

47. FULLAN, M. et A. POMFRET. " Research on Curriculum and Instruction Implementation", *Review of Educational Research,* Winter 1977, 47 (1): 335-397.

48. SCHEIRER, M.A. et E.L. REZMOVIC. "Measuring the Degree of Program Implantation", *Evaluation Review,* OCTOBER 1983, 7 (5): 599-633.

49. LEITHWOOD, K.A. et D.J. MONTGOMERY. "Evaluating Program Implementation", *Evaluation Review,* April 1980, 4 (2): 193-214.

50. HUDSON, W.W., MURPHY, G.J. et P.S. NURIUS. "A Short-Form Scale to Measure Liberal Vs. Conservative Orientations Toward Human Sexual Expression", *The Journal of Sex Research,* August 1983, 19 (3): 258-272.

ANNEXE I

PROJET D'IMPLANTATION DU GUIDE
INTERVENTION, ADOLESCENCE MTS

But du projet

Améliorer la qualité et l'efficacité des interventions de prévention des MTS dans les cours d'éducation à la sexualité, au deuxième cycle du secondaire, dans les écoles publiques situées sur le territoire du DSC Charles-LeMoyne.

OBJECTIFS GÉNÉRAUX	OBJECTIFS SPÉCIFIQUES
1. Améliorer les connaissances des intervenants scolaires, en ce qui a trait aux MTS et à leur prévention.	1.1 En juin 1989, 80 % devront être en mesure de nommer les 4 MTS les plus fréquentes, chez les adolescents.
	1.2 En juin 1989, 80 % des intervenants devront être en mesure d'expliquer les modes de transmission des principales MTS.
	1.3 En juin 1989, 80 % des intervenants devront être en mesure d'énumérer les facteurs de risque associés aux MTS.
	1.4 En juin 1989, 80 % des intervenants devront être en mesure d'expliquer les moyens à prendre pour diminuer les risques de contracter des MTS.
	1.5 En juin 1989, 80 % des intervenants devront être en mesure d'énumérer les principaux symptômes des MTS suivantes: gonorrhée, chlamydia, condylomes, herpès.
	1.6 En juin 1989, 80 % des intervenants devront être en mesure d'estimer la fréquence des infections asymptomatiques dans le cas des MTS suivantes: chlamydia, gonorrhée, hépatite B et SIDA.
	1.7 En juin 1989, 80 % des intervenants devront être capables d'expliquer la différence entre un sidéen et un porteur asymptomatique du virus du SIDA.
	1.8 En juin 1989, 80 % des intervenants devront être en mesure d'expliquer pourquoi le VIH ne se transmet pas lors de contacts sociaux.
	1.9 En juin 1989, 80 % des intervenants devront être en mesure d'identifier les principales complications des MTS suivantes: gonorrhée, chlamydia, condylomes, hépatite B.

2. Prendre conscience des valeurs et des attitudes soulevées par la problématique des MTS.

3. Se sensibiliser à certains aspects pertinents du vécu sexuel adolescent, pour la planification et l'élaboration d'interventions reliées à la prévention des MTS.

4. Promouvoir l'utilisation du guide *Intervention, Adolescence MTS* dans la planification et la réalisation d'activités visant la prévention des MTS.

5. Connaître les stratégies d'intervention basées sur l'acquisition d'habiletés sociales et la résolution de problème.

6. Développer un esprit critique face aux divers outils ou méthodes pédagogiques utilisés en prévention des MTS, ce qui devrait favoriser leur adaptation à divers contextes ou situations.

1.10 En juin 1989, 80 % des intervenants pourront nommer les principaux symptômes du SIDA.

1.11 En juin 1989, 80 % des intervenants pourront expliquer par quel mécanisme l'infection à VIH favorise d'autres infections.

2.1 Identifier ses propres valeurs et attitudes face à la sexualité et aux MTS, en tant qu'enseignant.

3.1 Identifier certains aspects du vécu psycho-social des jeunes.

3.2 Identifier certains aspects pouvant intervenir dans la prise de décision d'une vie sexuelle active, chez les adolescents.

3.3 En tenant compte des objectifs 3.1 et 3.2, élaborer des stratégies d'intervention visant à responsabiliser les adolescents, face à leur vécu sexuel.

4.1 En juin 1989, 70% des intervenants de secondaire IV auront consacré 4 heures à la prévention des MTS.

4.2 En juin 1989, 90% des intervenants de secondaire IV auront réalisé un minimum de 5 activités, parmi celles suggérées dans le guide ou celles proposées lors de la formation.

4.3 En juin 1989, 50% des intervenants de secondaire IV auront réalisé au moins une activité suggérée lors de la formation concernant l'utilisation du condom.

4.4 En juin 1989, 80% des intervenants auront utilisé du matériel audio-visuel axé sur la prévention des MTS, dans un cours portant sur ces maladies.

4.5 En juin 1989, 50% des intervenants auront utilisé des jeux de rôles, dans les cours sur la prévention des MTS.

5.1 En juin 1989, 50% des intervenants auront réalisé au moins une activité de prévention des MTS, en utilisant la méthode d'acquisition d'habiletés sociales pour résister à la pression des pairs.

5.2 En juin 1989, 50% des intervenants auront réalisé au moins une activité de prévention des MTS, en utilisant la méthode de résolution de problèmes.

6.1 Discriminer, parmi les activités proposées dans le guide, celles à préconiser en fonction du niveau scolaire des étudiants et du temps disponible pour le thème MTS.

Activités du programme

ACTIVITÉS	OBJECTIFS SPÉCIFIQUES
1. Cours magistral sur les MTS.	1.1, 1.2, 1.3, 1.4, 1.5, 1.6, 1.7, 1.8, 1.9, 1.10, 1.11.
2. Chaque participant répond individuellement à un questionnaire lui permettantt de prendre conscience de ses préjugés et valeurs, face aux MTS. Cette réflexion personnelle est suivie d'une discussion à l'intérieur d'un groupe important.	2.1
3a) Exposé informel sur le vécu sexuel adolescent et sur la prise de décision d'une vie sexuelle active. Par la suite, les participants forment des équipes de 3 ou 4 personnes et discutent, à partir d'une liste de sujets fournie par le professeur, comment ces divers éléments favorisent ou défavorisent les comportements préventifs des adolescents face aux MTS.	3.1, 3.2
3b) Toujours en petits groupes, les participants élaborent des stratégies d'intervention, en tenant compte des éléments du vécu sexuel des adolescents.	3.3
4. Présentation du guide *Intervention, Adolescence MTS* par le professeur.	4.1, 4.2, 4.3, 4.4, 4.5
5. Description de la méthode d'acquisition d'habiletés sociales et de celle de la résolution du problème, en insistant sur les critères à respecter pour en conserver l'efficacité. Pratique de ces méthodes en petits groupes.	5.1, 5.2
6. En petits groupes, le professeur demande aux participants de sélectionner, dans le guide, les activités à préconiser si on ne peut consacrer qu'une heure au thème des MTS, de justifier leur choix et de spécifier les adaptations nécessaires, s'il y a lieu.	6.1
7. Distribution du guide *Intervention, Adolescence MTS*.	

ANNEXE II

ÉVALUATION DU PROJET D'IMPLANTATION DU GUIDE *INTERVENTION, ADOLESCENCE MTS*

GROUPE-TÉMOIN

DÉPARTEMENT DE SANTÉ COMMUNAUTAIRE DE L'HÔPITAL CHARLES-LEMOYNE

Février 1989

ATTENTION

Avant de remplir ce questionnaire, lisez attentivement les consignes énumérées ci-dessous:

a) Dans la section A portant sur les variables socio-démographiques, vous remarquerez que l'on vous demande d'identifier le questionnaire par un numéro. Afin de préserver l'anonymat tout en conservant la possibilité d'apparier les questionnaires lors de l'analyse des résultats, nous vous demandons *d'inscrire* le numéro calculé à partir de la méthode suivante:

1. *additionnez l'année, le mois et le jour* de votre date de naissance pour obtenir les deux premiers chiffres. Ainsi, si votre date de naissance est le 1956–11–08, les deux premiers chiffres seront :
$$56 + 11 + 08 = 75$$

2. *additionnez le mois et le jour* de la date d'anniversaire de votre mère pour obtenir les deux derniers chiffres. Exemple, si sa date d'anniversaire est le 04–22, les deux derniers chiffres seront alors :
$$04 + 22 = 26$$

Dans cet exemple, le numéro d'identification est le : 75-26. Remarquez que le résultat obtenu, connu de vous seul, protège votre anonymat.

b) Dans les sections B et D, *cochez* votre réponse.

c) Dans la section C portant sur les attitudes, *encerclez* le chiffre correspondant à votre réponse.

SECTION A

VARIABLES SOCIO-DÉMOGRAPHIQUES

N° d'identification du questionnaire: _____
                      (Pour le calcul de ce numéro, se référer à la page précédente)

Professeur(e)   :   _____

Infirmier(ère)   :   _____

Âge   :   _____

Sexe   :   _____

Années d'expérience dans l'enseignement :   _____
         ou
Années d'expérience en soins infirmiers :   _____

Avez-vous déjà reçu une formation axée sur la prévention des maladies transmissibles sexuellement (MTS)?   _____

SECTION B

CONNAISSANCES

	Cochez votre réponse	
	VRAI	**FAUX**
1. Les condylomes acuminés sont rares parmi la population adolescente.	❑	❑
2. Une mère porteuse du virus de l'hépatite B peut transmettre l'infection à son enfant, à la naissance.	❑	❑
3. Plusieurs MTS peuvent se transmettre lors de relations sexuelles orales-génitales	❑	❑
4. Une personne ayant un seul partenaire sexuel est à l'abri des MTS.	❑	❑
5. Les modes de transmission de l'hépatite B sont les mêmes que ceux du SIDA.	❑	❑
6. Le risque de MTS s'accroît avec le nombre de partenaires sexuels.	❑	❑
7. Les condoms peuvent être lubrifiés avec de la vaseline.	❑	❑
8. L'herpès génital est la seule MTS pour laquelle il existe maintenant un vaccin.	❑	❑
9. La gonorrhée et la chlamydia sont deux MTS ayant des symptômes semblables.	❑	❑
10. Les condylomes acuminés sont des verrues génitales extrêmement douloureuses.	❑	❑
11. La majorité des personnes infectées par le virus du SIDA sont symptomatiques.	❑	❑
12. Une personne dotée d'anticorps contre le virus du SIDA est protégée contre cette maladie.	❑	❑
13. Une infection par le virus de l'hépatite B peut parfois évoluer vers une cirrhose.	❑	❑
14. Chez la femme, les condylomes acuminés sont associés au cancer du col de l'utérus.	❑	❑
15. Le virus du SIDA peut se transmettre par des contacts avec l'urine et les selles d'une personne infectée.	❑	❑
16. Les deux principales causes de salpingite sont la gonorrhée et la chlamydia.	❑	❑
17. Chez la majorité des personnes, un seul traitement suffit à faire disparaître les condylomes.	❑	❑
18. Le virus du SIDA ne peut pas se transmettre d'une femme à un homme, lors de relations sexuelles génitales.	❑	❑
19. Un seul épisode de salpingite augmente de 6 à 10 fois le risque futur de grossesses extra-utérines.	❑	❑
20. Le virus du SIDA peut provoquer une démence chez certaines personnes infectées.	❑	❑

SECTION C

ATTITUDES

1. L'école devrait jouer un rôle actif dans la prévention des MTS.

   DÉSACCORD─────────────────────────────────────── ACCORD
          1   :   2   :   3   :   4   :   5

2. Le seul message acceptable pour prévenir les MTS auprès des adolescents est celui qui préconise l'abstinence.

   DÉSACCORD ─────────────────────────────────────── ACCORD
          1   :   2   :   3   :   4   :   5

3. Ce que deux adultes consentants font ensemble dans le domaine de la sexualité ne regarde qu'eux.

   DÉSACCORD ─────────────────────────────────────── ACCORD
          1   :   2   :   3   :   4   :   5

4. Les médias font preuve de trop de compassion envers les sidéens.

   DÉSACCORD ─────────────────────────────────────── ACCORD
          1   :   2   :   3   :   4   :   5

5. Avoir une MTS suppose une certaine promiscuité sexuelle.

   DÉSACCORD─────────────────────────────────────── ACCORD
          1   :   2   :   3   :   4   :   5

6. À la télévision, les gestes à caractère sexuel sont totalement acceptables.

   DÉSACCORD─────────────────────────────────────── ACCORD
          1   :   2   :   3   :   4   :   5

7. On parle trop de sexualité aux jeunes.

   DÉSACCORD─────────────────────────────────────── ACCORD
          1   :   2   :   3   :   4   :   5

8. De nos jours, les gens accordent trop d'importance à la sexualité.
DÉSACCORD————————————————————————— ACCORD
1   :   2   :   3   :   4   :   5

9. La communauté homosexuelle contribue positivement à la vie sociale.
DÉSACCORD————————————————————————— ACCORD
1   :   2   :   3   :   4   :   5

10. Les professeurs devraient démontrer, en classe, comment utiliser un condom.
DÉSACCORD————————————————————————— ACCORD
1   :   2   :   3   :   4   :   5

11. Les relations sexuelles prémaritales contribuent au développement de la personnalité.
DÉSACCORD————————————————————————— ACCORD
1   :   2   :   3   :   4   :   5

12. Les sidéens devraient payer une partie des coûts des soins médicaux dont ils ont besoin.
DÉSACCORD————————————————————————— ACCORD
1   :   2   :   3   :   4   :   5

13. On devrait permettre aux adolescents d'avoir une vie sexuelle active.
DÉSACCORD————————————————————————— ACCORD
1   :   2   :   3   :   4   :   5

14. Depuis quelques années, la sexualité est trop présente dans les films.
DÉSACCORD————————————————————————— ACCORD
1   :   2   :   3   :   4   :   5

15. L'éducation sexuelle encourage les jeunes à avoir une vie sexuelle précoce.
DÉSACCORD————————————————————————— ACCORD
1   :   2   :   3   :   4   :   5

16. L'acceptation de l'homosexualité favorise la propagation du SIDA.
DÉSACCORD————————————————————————— ACCORD
1   :   2   :   3   :   4   :   5

17. Parler de l'utilisation du condom à des adolescents les encourage à avoir de nombreux partenaires.
DÉSACCORD————————————————————————— ACCORD
1   :   2   :   3   :   4   :   5

18. On peut se fier aux personnes atteintes d'une MTS pour aviser leur(s) partenaire(s) sexuel(s).
DÉSACCORD————————————————————————— ACCORD
1   :   2   :   3   :   4   :   5

19. Il est intéressant, pour un professeur, de faire de l'éducation sexuelle.
DÉSACCORD————————————————————— ACCORD
       1   :   2   :   3   :   4   :   5

20. Les médecins ne devraient pas avertir le ou les partenaire(s) sexuel(s) d'une personne ayant une MTS sans son consentement.
DÉSACCORD————————————————————— ACCORD
       1   :   2   :   3   :   4   :   5

21. Le temps consacré à l'éducation sexuelle à l'école est insuffisant.
DÉSACCORD————————————————————— ACCORD
       1   :   2   :   3   :   4   :   5

22. La fréquence des MTS chez les adolescents montre que ceux-ci ne devraient pas avoir de relations sexuelles.
DÉSACCORD————————————————————— ACCORD
       1   :   2   :   3   :   4   :   5

23. Les personnes ayant une MTS n'ont qu'elles-mêmes à blâmer.
DÉSACCORD————————————————————— ACCORD
       1   :   2   :   3   :   4   :   5

24. On ne parle pas assez de principes moraux quand on aborde le sujet des MTS avec des adolescents.
DÉSACCORD————————————————————— ACCORD
       1   :   2   :   3   :   4   :   5

25. On devrait minimiser les sentiments de culpabilité associés aux MTS.
DÉSACCORD————————————————————— ACCORD
       1   :   2   :   3   :   4   :   5

SECTION D

PRATIQUES PÉDAGOGIQUES

COCHEZ VOTRE RÉPONSE (✓)

1. Avez-vous abordé le thème des MTS avec vos étudiants, l'an dernier?

	Secondaire III	Secondaire IV	Secondaire V
OUI			
NON			

Si vous avez répondu «oui» à un de ces points, passez à la question 2.
Sinon, vous n'avez pas à remplir le reste du questionnaire.

2. Dans quel cours avez-vous abordé le thème des MTS ?

	SEC. III	SEC. VI	SEC. V
Formation personnelle et sociale			
Morale ou religion			
Biologie			
Autre			

3. Combien de temps en moyenne (heures) avez-vous consacré au thème des MTS?

   •   Secondaire III   _____

   •   Secondaire IV   _____

   •   Secondaire V   _____

4. Parmi les moyens d'apprentissage énumérés ci-dessous, indiquez la fréquence avec laquelle vous les utilisez en classe, lorsque vous abordez le thème des MTS:

SECONDAIRE III

	Toujours	*Souvent*	*Occasion-nellement*	*Rarement*	*Jamais*
Cours magistral					
Discussion de groupe					
Matériel audio-visuel (vidéo, diaporama, film,...)					
Jeux de rôles					
Travaux de recherche					
Information écrite sur les MTS					
Démonstration de l'utilisation correcte du condom					

SECONDAIRE IV

	Toujours	*Souvent*	*Occasion-nellement*	*Rarement*	*Jamais*
Cours magistral					
Discussion de groupe					
Matériel audio-visuel (vidéo, diaporama, film,...)					
Jeux de rôles					
Travaux de recherche					
Information écrite sur les MTS					
Démonstration de l'utilisation correcte du condom					

SECONDAIRE V

	Toujours	*Souvent*	*Occasion-nellement*	*Rarement*	*Jamais*
Cours magistral					
Discussion de groupe					
Matériel audio-visuel (vidéo, diaporama, film,...)					
Jeux de rôles					
Travaux de recherche					
Information écrite sur les MTS					
Démonstration de l'utilisation correcte du condom					

MERCI DE VOTRE COLLABORATION !

ANNEXE III

ÉBAUCHE DE L'INSTRUMENT DE MESURE
DES CARACTÉRISTIQUES DU CONTEXTE ORGANISATIONNEL

A. SOUTIEN DE LA DIRECTION DE L'ÉCOLE AU PROGRAMME FPS

> *ENCERCLEZ LE CHIFFRE CORRESPONDANT À VOTRE RÉPONSE*

1. La direction de l'école s'intéresse au programme FPS.

    BEAUCOUP ——————————————————————————— PEU

    1   :   2   :   3   :   4   :   5

2. La direction de l'école défendrait le choix des activités pédagogiques réalisées en classe par ses professeurs de FPS, en cas de controverse au sein de la communauté.

    TRÈS ———————————————————————— PEU
    PROBABLE   1   :   2   :   3   :   4   :   5   PROBABLE

3. La direction de l'école accepterait de payer des coûts de location ou d'achat de moins de 200 $ pour l'obtention de matériel nécessaire à la réalisation d'une activité de prévention des MTS.

    TRÈS ———————————————————————— PEU
    PROBABLE   1   :   2   :   3   :   4   :   5   PROBABLE

4. La direction de l'école accepterait de libérer des professeurs de FPS pour qu'ils puissent assister à une journée de formation sur l'éducation sexuelle.

    TRÈS ———————————————————————— PEU
    PROBABLE   1   :   2   :   3   :   4   :   5   PROBABLE

B. *SOUTIEN DU COMITÉ DE PARENTS AU VOLET «ÉDUCATION À LA SEXUALITÉ » DU PROGRAMME FPS*

1. Le comité de parents de votre école est en accord avec les objectifs du volet «Éducation à la sexualité» du programme FPS.

   PARFAI- ——————————————————————————————————— **PAS**
   TEMENT   1   :   2   :   3   :   4   :   5   **DU TOUT**

2. Les activités pédagogiques concernant l'éducation sexuelle doivent être approuvées par le comité de parents de votre école avant d'être réalisées en classe.

   TOUJOURS ——————————————————————————————————— **JAMAIS**
                   1   :   2   :   3   :   4   :   5

3. Le comité de parents de votre école surveille les activités pédagogiques réalisées dans le cadre de l'éducation sexuelle.

   BEAUCOUP——————————————————————————————————— **PEU**
                   1   :   2   :   3   :   4   :   5

4. Le comité de parents de votre école aimerait que l'on augmente le nombre d'heures consacrées à l'éducation sexuelle.

   BEAUCOUP ——————————————————————————————————— **PEU**
                   1   :   2   :   3   :   4   :   5

C. *DEGRÉ DE COOPÉRATION ENTRE LES PROFESSEURS DE FPS DE L'ÉCOLE AU PLAN DE LA PRÉPARATION DES COURS.*

1. Il arrive aux professeurs de FPS de votre école de préparer ensemble un cours de FPS.

   SOUVENT ——————————————————————————————————— **JAMAIS**
                   1   :   2   :   3   :   4   :   5

2. Il arrive aux professeurs de FPS de votre école de discuter d'une activité pédagogique réalisée dans un cours de FPS.

   SOUVENT ——————————————————————————————————— **JAMAIS**
                   1   :   2   :   3   :   4   :   5

3. Les professeurs de FPS de votre école discutent entre eux des difficultés qu'ils rencontrent dans le programme FPS.

   SOUVENT ——————————————————————————————————— **JAMAIS**
                   1   :   2   :   3   :   4   :   5

4. Les professeurs de FPS de votre école informent leurs collègues lorsqu'une activité pédagogique a particulièrement bien réussi.

   SOUVENT——————————————————————————————————— **JAMAIS**
                   1   :   2   :   3   :   4   :   5

ANNEXE IV

LE GUIDE
INTERVENTION, ADOLESCENCE MTS

Le guide *Intervention, Adolescence MTS* que vous avez reçu, lors des journées de formation sur la prévention des MTS, vous proposait plusieurs activités pédagogiques à réaliser en classe. Pour chacune de ces activités énumérées ci-dessous, veuillez indiquer la fréquence de son utilisation cette année.

SECONDAIRE III *

Activités	Fréquence d'utilisation			
	Toutes les classes de FPS	*La plupart des classes de FPS*	*Quelques classes de FPS*	*Aucune classe de FPS*
a) Projection du vidéo «Il vous reste une demi-heure»				
b) Questionnaire sur les MTS destiné aux étudiants				
c) Projection du diaporama «Pas moi»				
d) Activité sur les mythes et tabous existant face aux MTS				
e) Activité sur les valeurs				
f) Activité sur le cycle de propagation				
g) Jeu de rôle «Comment le lui dire»				
h) Activité sur le condom				
i) Activité sur «Le problème de Geoffroy»				

* **Même tableau pour le secondaire IV et le secondaire V**

Achevé d'imprimer
sur les presses de

Goulet, Létourneau Imprimeurs inc.
à Sherbrooke (Québec)